新潮文庫

消えた女

—彫師伊之助捕物覚え—

藤沢周平著

3066

目次

消えた女

彫師伊之助捕物覚え

かんざし

一

暮れ六ツ（午後六時）の鐘を聞くと、伊之助は彫り台にかぶせていた胸を起こし、道具箱に鑿《のみ》や木槌《きづち》をしまった。そして立ち上がると膝《ひざ》の木屑《きくず》をはらい、前垂れを取った。

仕事場の中には、伊之助のほかに親方の藤蔵《とうぞう》、職人の峰吉と圭太《けいた》がいて、身体《からだ》を折りまげる恰好《かっこう》で版木《はんぎ》を彫っていたが、伊之助が立ち上がって帰り支度をはじめても、誰も顔をあげなかった。峰吉や圭太はこれからひと仕事もふた仕事もして、切りがついたところで帰るのだ。いそがしい仕事が入ったときは、明け方近くまで彫りつづけることもめずらしくない。

この二人の仕事ぶりにくらべれば、いそがしかろうがいそがしくなかろうが、六ツになればさっさと仕事を切りあげて帰る伊之助は、どうみても半ぱな職人というしかなかった。そういう意味では、伊之助はこの仕事場に似あわない人間だが、そのことで伊之助に文句を言う者はいない。

文句を言わないのは、伊之助をあまりあてにしていないということだったが、伊之助にはそれが気楽だった。とりあえず喰って、店賃《たなちん》を払うだけの仕事を探すつもりで来た彫藤《ほりとう》の仕事場に、三年近くも腰を据えているのは、その気楽さのせいだと言ってよい。伊之助は、誰にもあてにされたくないと、日ごろ思っていた。

伊之助が、彫り台の前の蠟燭《ろうそく》を吹き消したとき、親方の藤蔵がやっと手をやすめてこっちを見た。女の大首絵《おおくびえ》を彫っている藤蔵は、気が入っているらしく、肥《ふと》った丸顔を真赤にしていた。馬のように大きくぱっちりした眼が、少しうるんでみえる。その眼で、藤蔵はちょっとの間ぼんやりと伊之助を見たが、すぐに太くしゃがれた声をかけてきた。

「そっちはどんなぐあいかい？　伊之」

「二枚残っちまったが、あとは明日の仕事にしまさ」

と伊之助は言った。伊之助は、日本橋通《とおり》油町《あぶらちょう》にある慶寿堂《けいじゅどう》という版元から受けた仕事にかかっていた。漢籍の彫りで、伊之助には何のことかわからない四角い字がならぶだけの本だが、筆耕の文字は彫る方から言えば、まぎれのない見事な字で彫りやすかった。だが、彫りやすいというだけで、退屈な仕事だった。ひと月ほどつづいていたその仕事が、ようやく終りに近づいていた。彫りは明日中には出来上がるだろう。

藤蔵は、伊之助の返事で納得したらしく、よしと言って仕事にもどった。伊之助が、「じゃ、あっしはこれで」と言ったのにも、下をむいたまま、うんとうなずいただけだった。

外へ出ると、日が落ちるところだった。日は町の高いところに移り、木の梢《こずえ》や寺の屋根《やね》瓦《がわら》の端に、昼のかけらのような光を残しているだけで、町の底には白っぽい日暮れのいろがたまりはじめていた。その白い光の中を、夜の喰い物を買いに出た女たちや、仕事帰りの男たちが歩いていて、町は少し混《こ》みあっていた。

伊之助は商い店がならぶ町を通り抜け、六間堀にかかる短い橋を渡った。橋を渡ると、そこは弥勒寺《みろくじ》と対馬《つしま》藩下屋敷の長い塀《へい》に両側をはさまれた、昼でも陰気に感じる道で、人かげは急にまばらになった。

前から来た職人姿の男が二人、声高《こわだか》に話しながらすれ違った。男たちの顔は、どこかに一日の働きの疲れをにじませていたが、足どりははずむように早かった。あっという間にすれ違って行った。家に、女房子供が待っている男たちの足どりだった。

男たちの遠ざかる話し声は、伊之助に、何年か前には、自分もそんなふうにして家に戻ったことを思い出させた。だが伊之助はゆっくり歩いた。待っている者は誰もいない。帰っても、そこには冷えた薄闇《うすやみ》がよどむ部屋があるだけだった。

塀にはさまれた道は、ほかの場所よりも暮れいろが早くおとずれるようだった。いくらか陰気なその道が間もなく終わるところに、たったひとつの色どりが現われる。弥勒寺の高い塀の上から、道の上に柿《かき》の木が枝をのばしていて、そこに色づいた柿の実がかたまってついているのだ。いつものように、伊之助はちらと空を仰いで、柿の実を眺めた。そして道を抜けると、町はまた人通りでにぎやかになった。

——飯を喰って行くか。

町のにぎやかさに釣られたように、伊之助はそう思い、常盤《ときわ》町と松井町二丁目の角を左に曲がった。一角に娼家《しょうか》がかたまっている町だった。

そこまで歩いてくる間に、町の上に残っていた光は姿を消し、かわりに空が木苺《きいちご》の実のように黄ばみはじめていた。まだ娼家に人があつまる時刻ではないが、それでも家々の前には、手を突っこんだ袖《そで》を胸に抱いた、白い顔の女たちが、人待ち顔に立っていた。女たちは伊之助をみると、器用に舌を鳴らして笑いかけたり、手を隠したままの袖口を、魚が鰭《ひれ》を動かすように、小さく振ってみせたりした。

その町を抜け、山城《やましろ》橋が見え、その手前にあるおまさの店が見えてきたとき、伊之助は道の端に寄って足をとめた。

煤《すす》けた障子に、じかに「めし・さけ」と墨で書いてある店の前に、おまさがいた。おまさは、伊之助が見ているうちに店の前を掃き終わり、のれんをわけて店にひっこむと、今度は小桶《とおけ》を持って現われて、掃いた後の地面に水を打った。それからのびあがるようにして、軒先につるした行燈《あんどん》をのぞいた。まだ灯をともす時刻ではないが、油を確かめたようだった。おまさはきびきびと動いていた。爪先《つまさき》立って身体をのばしたとき、形のいい胸のふくらみと、青白い二の腕があらわに伊之助の眼に映った。

そこまでみて、伊之助は踵《きびす》をかえすと、さっき来た道を、人ごみにまぎれて引き返した。

——面倒は、避けたほうがいい。

ぼんやりと、伊之助はそう思っていた。五日ほど前の夜。おまさがひどく酔ったことを思い出していた。

大川の向う岸にある町で、伊之助は小さいころおまさと一緒に遊んで育った。やがて伊之助は浅草の方にある彫師の家に奉公に行き、おまさは年ごろになると、父親がはじめた、いまの店を手伝って、二人は会うこともなくなった。

二人がまた出会ったとき、伊之助は所帯持ちの岡っ引で、おまさは嫁にもいかず、病気の父親と、十近くも年が離れている妹を養いながら、ひとりで店を切り回していた。伊之助が、おまさの店で飯を喰ったり、酒を飲むようになったのは、そのころからである。あれから八年にもなる、と時どき伊之助は思うことがある。

その八年の間に、伊之助は女房に死なれ、岡っ引もやめて、昔ならいおぼえた版木彫りの職人にもどったが、おまさはそのままだった。家と店に、じっと縛りつけられたまま、おまさは伊之助より三つ年下だから、いま二十八になっているはずだった。

仕事のことや、女房のことを、伊之助はおまさに愚痴ったりしたことはない。おまさも踏みこんでたずねようとはしなかった。だが黙って八年もの間伊之助を眺めているうちに、おまさの心のなかに、伊之助に言いたいことがたまって膨れあがったようにも見えた。正体をなくすほど酔ったとき、おまさは伊之助にそれを言うつもりだったに違いない。

だが結局おまさは何も言わないでしまい、伊之助は体《てい》よく逃げた。そのあと、伊之助はおまさの店に行っていなかった。おまさが、何を言いたがっているか、伊之助にはあらまし見当がついている。だが、それを聞いたあとの煩《わずら》わしさを考えると、心がすくむのだ。

三年ほど前に、伊之助の女房のおすみは男をつくって逃げ、間もなくその男と一緒に死んだ。手ひどい裏切りだった。亭主を裏切って死んだおすみは、まだ二十三の女だった。その事件が残した傷は、伊之助の胸のなかのどこかに、火傷《やけど》のあとのようにべっとりとひろがったままで、そこからいまも時どき、悔恨とも怒りともわきまえがたい疼《うず》きを伝えてくる。おまさが言いたがっていることを、伊之助は聞きたくなかった。聞いても無駄だという気がした。

娼家がある常盤町の一角には、さっき見た女たちが、まだ立っている。わずかに町に残る明かるみに遠慮したように、女たちは中途半ぱな小さな声で、道を行く男たちを誘い、その自分の声にテレたように、かすれた笑い声をあげたりした。

伊之助は竪川《たてかわ》にかかる二ツ目橋を北に渡った。そこから住んでいる亀沢《かめざわ》町の裏店《うらだな》までは、まっすぐの道だった。

──飯を炊《た》かなくちゃならねえな。

そう思いながら、伊之助は戸を開けた。おまさの店に寄らずに帰ったことが、いまになって少し悔やまれるようだった。おまさが外に出ていたりしなければ、すっと入って行ったかも知れないのだ。

上がり框《かまち》に足をかけたとき、伊之助はふと身動きをとめた。そっと、足を履物にもどした。たずねて来る者など、一人もいないはずの家の中に、人の気配があった。伊之助は岡っ引だった昔にもどったように、薄ぐらい土間を眼でさぐった。すると、隅に履き古した草履《ぞうり》があるのが見つかった。男物の草履で、きちんとそろえてぬいである。

「誰だい？　中にいるのは」

伊之助が言うと、茶の間から弱よわしい声が、

「伊之、おれだ」

と答えた。伊之助はあわてて上にあがった。

「これは、清住《きよずみ》町のとっつぁん。どうしなすったんで」

伊之助は、茶の間の薄闇の中にいる黒い人影にむかってそう言いながら、腰を折って行燈に灯を入れた。明かるい灯影《ほかげ》に浮かびあがったのは、もと岡っ引の弥八という老人だった。

弥八は窓の下の壁にもたれて、膝を抱いていた。その膝をあぐらにもどして、弥八は伊之助に笑顔をむけたが、ひどく疲れているように見えた。薄い肩のとがりと、真白に変わった髪が伊之助の眼をひきつけた。

「いま、お茶を入れまさ」

伊之助はあわただしく台所に立った。竈《かまど》に火を焚《た》きつけ、鉄瓶をかけながら、伊之

助は弥八の用件は何だろうと思った。留守の間に来て、留守だとわかっても帰らずに上がって待っていたことを考えると、弥八は何か大事な用事を抱えているのだ、という気がした。

奉公も終わって、浅草の誓願《せいがん》寺門前にある彫安という彫師の家で、一人前の彫師として版木を彫っていたころ、伊之助は彫安のとくい先だった近くの寺で、物盗《ものと》り騒ぎがあったのにかかわりあって、弥八の仕事を助けたことがある。それが縁で、二年ほど仕事のひまに弥八の手先のようなことを勤めたのが、その後の伊之助の生き方を変えることになった。伊之助はやがて岡っ引をやめる弥八にすすめられるままに、弥八のあとをつぐ形で自分も岡っ引になった。

そんなふうに、身軽に仕事を変えることが出来たのは、若くて無分別だったからだとも言えるが、そのときは、一日中背をまるめ、眼を赤くして版木を彫る仕事よりも、岡っ引の方が性分《しようぶん》に合っていると思ったのだ。地味でおとなしい人柄でいながら、町の悪とむかい合うと、一歩もひかない気迫を見せる弥八に惹《ひ》かれてもいた。伊之助は、弥八が住んでいる清住町に移り、そこで前から好き合っていたおすみと所帯を持った。

伊之助は、南町奉行所の定町回《じようまちまわ》り同心半沢清次郎に手札《てふだ》をもらい、二年ほどするうちに、半沢にも信用され、仲間うちにも凄腕《すごうで》と評判をとるほどの岡っ引になっていたのである。

岡っ引をやめた弥八は、佐賀町にある鹿島屋という回船問屋に住みこみで雇われた。弥八のように三十年近くも岡っ引を勤めれば、才覚のある者なら、やめたときは小料理屋の亭主ぐらいにはおさまるのである。だが弥八は、町家を見回るついでにそれとなく小遣いをねだったりすることが嫌いな岡っ引だった。そのために、年取ってやめたあとは、問屋の倉番に住みこむしかなかったのである。

岡っ引をやめるとき、伊之助は鹿島屋に弥八をたずねて行って会っている。白壁《しらかべ》の土蔵が十幾つも並ぶ、鹿島屋の倉番小屋で会ったときより、弥八はひとまわり身体が小さくなり、年寄めいたようだった。

「夜回りは、きつかござんせんかい」

お茶を出してすすめながら、伊之助はそう言い、眼で用件を話すように促した。

すると弥八は懐《ふところ》に手を入れて、一本の簪《かんざし》をとり出した。弥八の骨ばった手は、急にはげしくふるえた。簪を指さして弥八は言った。

「これを見てくれ」

二

伊之助は簪《かんざし》を見た。ありふれた簪だったが、こよりが一本結んである。伊之助が手を出すと、弥八は黙って簪を手渡した。

「これを開けていいんですかい」

伊之助はこよりを指さして言った。そのときには、それが中に何かを記したものだろうと気づいていた。

弥八を見ると、老人は黙ってうなずいた。伊之助はこよりが結びつけられている有様を、もう一度仔細《しさい》に眺めてから、こよりを解き、ひろげて見た。ていねいに紙の皺《しわ》をのばして、行燈《あんどん》に近づけると、伊之助は中に記されている文字を読んだ。

おとっつぁん　たすけて
と書いてあった、書かれている字はそれだけだった。振りむくと、弥八がじっとこちらを見つめていた。

「これは、おようちゃんが書いたんで？」

「うん」

「確かにおようちゃんの手跡《しゅせき》ですかい」

伊之助は、思わず岡っ引の口調になっていた。

「間違《まちげ》えねえよ」

「で、とっつぁんの用事というのは？」

「おようを捜してもらいてえ」

うめくように弥八が言った。

「捜すってえと、行方が知れねえんですかい？」

「どこへ行ったか、わからねえのだ」

「………」

「これがとどいたから、捜しに行った。だが、そこにはいなかった」

「あそこには行ってみましたかい？」

伊之助は、歯切れの悪い口ぶりで聞いた。

「おようちゃんのご亭主のところ」

「………」

弥八の顔に、苦しげな表情が浮かんだ。だが、やっと苦笑した。

「あのやくざもんのところか。行ったさ」

「それで？」

「おようは家出して、行方が知れねえと言いやがった。それに……」

弥八の顔は、もう一度苦しげに歪《ゆが》んだ。

「もう新しい女がいた。言わねえこっちゃねえや」

弥八の声は低くかすれた。もう少し、くわしく話してくれないかと、伊之助は言った。弥八はうなずいて、ゆっくり茶をすすり、それから話し出した。

一昨日、鹿島屋の倉番小屋にいる弥八を、子供が一人たずねて来た。十ぐらいの男の子だった。

子供は弥八の名前を確かめ、これをとどけると、銭を二十文もらえると、おねえさんが言ったと言って、弥八に簪を渡した。

簪は古いもので、弥八にはそれがおようのものかどうか、はっきりとはわからなかった。だが簪にむすんであるこよりの手紙は、間違いなくおようの字だった。

おようが子供のころ、町隣《まちどなり》の霊雲寺《りょううんじ》の境内にある庵《あん》に、二年ほどの間、旅の行脚僧《あんぎゃそう》が滞在したことがある。幸源《こうげん》という名前の、顎《あご》に白いひげを垂らしたその禅僧は、子供好きだったらしく、いる間にその庵で寺子屋を開いた。おようは、その寺子屋に通ったおかげで、簡単な手紙なら書けるのである。

助けをもとめていると思われる、その短い便りに、おようの筆癖があらわれていた。

弥八は、どういうことかと便りの意味を判じかねたが、とりあえず、その男の子がどこで、誰にその品を頼まれたかを聞いた。ずっと昔にやめた岡っ引の習性が出たようでもあった。

答えなければ、約束の銭をもらえないと思うのだろう。真黒い顔をして、素足に草《ぞう》履《り》をつっかけた子供は、弥八が聞くことに一所懸命に答えた。

子供は、西念寺《さいねんじ》横町《よこちょう》と呼ばれる東の黒江町から来ていた。子供の足には遠い町である。だが子供が女に簪を頼まれた場所は、その町の中ではなかった。北どなりの門前仲町でだった。男の子は、その場所を正確に言った。

子供は、二、三人の友だちとその町を歩いていて、一軒の飲み屋の横の狭い塀わきの路地を通った。そのとき、不意に潜《くぐ》り戸が開いて、中から手をのばした女に引きとめられ、用事を頼まれたのである。

その場所を聞いたとき、弥八の胸は不意に暗く波立った。そこは迷路のように道が入りくみ、肉をひさぐ女や、女たちを裏であやつるのを仕事にしている男たちが住む町で、夜になると、岡っ引も足を踏みこめない場所だったのだ。

用事を頼んだのが、はたしておようなのかどうかは、はっきりしなかった。女は人に見られるのを恐れるように、顔も身体も塀のうちに隠したままだったからである。ただ真黒に汚れた顔をしているが、賢そうな眼をしたその男の子は、用事を引きうけて、仲間を追って店の表口に出たとき、その店の目印を見つけていた。軒行燈の下に、死んだ亀《かめ》がぶらさがっていたのである。

ただ子供は、弥八をたずねる五日前にその簪を頼まれていた。来るのが遅れたのは、弥八が住む町が、一人でたずねるには遠かったからである。そのためらいに、ついに銭が欲しい気持が打ち勝って、その日、道をたずねたずねしてやって来たのだった。

ほかに、その男の子に聞くことはなかった。弥八は子供に銭をやり、道に迷わないよう、念入りに道筋を教えて帰した。そのときには、もう四年も会っていないおようの消息を確かめに行く気持になっていた。

「それで、はじめにあのやくざもんをたずねて行ったのだ。あいつの顔など、見たくもなかったがな」

弥八はその男の名前を言わなかったが、由蔵《よしぞう》という名の男である。由蔵は職もなく、あちこちの賭場《とば》に出入りして博奕《ばくち》を打ったり、金がないときは、賭場の仕事を手伝ったりして喰っている男だった。亭主と言っていいのかどうかわからないが、それがおようと一緒に暮らしている男だということを、伊之助は弥八の口から聞いている。

「だが、そこにはいなかったと。そして、別の女がいたと。で、おようちゃんは家出したって由蔵は言ったわけですな」

「そう言った。親爺《おやじ》さんのところへ戻ったんじゃねえかと思ってた、なんてふざけた口をききやがった」

「で、どうでした？　野郎は嘘《うそ》をついているような様子でしたかい？」

「そいつはわからねえ」

弥八は暗い顔で、首を振った。

「おようが家を飛び出したころ、おれはあんな悪党にくっついていたら、いずれ裸にむかれて、売りとばされるのがオチだと、おように言ったことがある。新しい女と一緒にいるのを見て、こいつほんとにおようを売りとばしやがったかと思ったが、それにしては解《げ》せねえところがある」

「…………」

「おようは親に歯むかって家をおん出たほどの、気の強い娘だ。おめおめと売られて行ったとも思えねえ。それにあいつは落ちついていた」

「落ちついていた？」

「おれに踏んごまれても、あわてた様子は見えなかったということさ。そのへんがわからねえところだ」

「仲町の方はどうでしたかい？　行って来なすったんで？」

「むろん、行ったさ。あの子供は頭の回る子だった。ちゃんと亀がぶらさがっている飲み屋があったよ。だが、そんな女はいない、とえらい見幕《けんまく》でな。話にも何にもならねえ」

「あのへんじゃそんなものでしょうな」

「おてんと様が光っているときにあのあたりに行って、人を探しても出てくるわけはねえやな。そいつは百も承知だが、伊之。おれにはもう暗くなってからあのへんに踏んごむ元気はねえのだ」

「…………」

「由蔵の野郎だってそうよ。もう少し元気があったころなら、首を押さえつけて、何かこう、もう少しいい音《ね》を上げさせてやるところだ。だが、いまのおれにそんなことが出来るわけもねえ」

「…………」

「捜してやってくれねえか、伊之」

弥八は手をのばして、伊之助から簪と、こよりの便りを受け取った。

「後で気づいたのだが、この簪は死んだ女房のものでな。いつの間にか、持ち出して使っていたとみえる」

「…………」

「それに、この手紙だ」

弥八はすぐにまるまってしまうこよりを引きのばして、じっと見つめた。

「親子の縁を切ると言われても、飛び出してあの悪党とくっついた娘だ。おれはな、すっぱりとあきらめていたのだ。もう親でもねえ、子でもねえとな。死ぬときも、知らせねえつもりだったよ」

「………」

「そいつが、こうして……」

不意に弥八の眼に涙が盛り上がった。弥八は、掌《たなごころ》にのせた薄く、小さな紙きれを、はげしくこぶしで打った。

「やっぱり親だと思って、助けを呼んでいる。こいつは、どうにもならねえ」

弥八はあぐらの中にさしこんだ手を握りしめると、深くうつむいた。そのまま泣いているようだった。

伊之助は腕を組んだ。弥八とつながりが出来たころ、まだ子供だったおようのことを考えていた。おようはそのとき十一だと言っていたのだ。いまは二十一の女になっているわけだった。

母親はもっと小さいときに病死して、伊之助が手先として時どき弥八の家に出入りするようになったとき、弥八とおようは親一人、子一人の境遇だった。ほかにおたきという年寄の手伝いが出入りするだけの、わびしい家だった。

それだけに、弥八はおようを嘗《な》めるようにかわいがっていたと思う。それが思いがけなく弥八の口から、おようの悪いうわさを聞くようになったのは、伊之助が岡っ引になって二年ぐらい経《た》ったころからである。小娘のくせに、色気づきやがって、と弥八は伊之助をたずねてくると愚痴をこぼした。おようはそのころから、町の不良たちとつき合っていたようだった。

おようが、由蔵という博奕打ちと一緒に暮らしている、と聞いたのは、伊之助が岡っ引をやめる挨拶《あいさつ》に行ったときである。そのときも弥八は長ながと愚痴を言ったが、女房に裏切られ、死なれたすぐ後だった伊之助は、自分の心の始末にかまけて、弥八の愚痴を聞いても、慰めるゆとりを持たなかったのだ。

今度は、手を貸さなくちゃなるまい、と伊之助は思った。だが、それはいかにも億劫《おっくう》な仕事だった。思い出したくもない、岡っ引の仕事を真似《まね》ることになる。

「とっつぁん」

と伊之助は弥八を呼んだ。

「そりゃ、あっしも手を貸しますがね。一応はちゃんととどけて、お上の手で捜してもらっちゃどうですか」

「………」

「仲町のへんなら、まだ茂平さんが取締っているわけだし、清住町の浅吉さんだって、話せば親身になって捜してくれると思いますぜ」

「おめえは、捜すのはいやか」

不意に顔をあげた弥八が言った。弥八の眼は、もう乾いていて、伊之助をみつめてきらりと光ったようだった。

「いやってわけじゃありませんよ。だが、あっしは仕事を持っている身体だし。そりゃ捜してもよござんすよ。でもひまがかかりまさ。それよりは一刻も早く……」

「いや、手があいたときでいい」

と弥八は言った。うむを言わせない、強い口調だった。

「おめえ、伊之よ。茂平や浅吉が、おようを捜して、連れてもどってくると思うか。思っちゃいまい。おめえにしか出来ねえ捜しものだ。頼まれてくれ、な」

弥八は手をあわせた。骨ばった、瘦《や》せた手だった。伊之助は顔をそむけた。身動き出来ない場所に追いつめられた気がしていた。そむけた眼に、弥八のあぐらの膝《ひざ》のさきにある、古びて艶《つや》を失った簪《かんざし》が映った。

三

おまさがお貰《もら》いに物をやっているのを、伊之助は立ちどまって眺めた。戸が開いて、そこから夜の道に流れ出ている灯明かりの中に、おまさとお貰いがむかい合って立っていた。遠くからみれば内緒話でもしているように、身を寄せ合って話している。江戸・南本所松井町二丁目の西はずれ。時刻は五ツ半（午後九時）を過ぎていた。

おまさの声が聞こえた。

「これがおにぎり。こっちは煮染《にしめ》だからね。落とさないようにしなさいよ。こないだなんか、あんたが帰ったあとを見たら、大切なおにぎりがひとつころがってたじゃないか。あんたも耄碌《もうろく》したねえ」

「…………」

「寒くはないね。風邪ひかないように気をつけなさいよ」

寒くはなさそうだった。お貰いは、ボロをいっぱいに重ね着して、厚く着ぶくれていた。上に小さな頭がのぞき、下から足が出て、真中だけふくらんでいるので、蓑虫《みのむし》が立っているようにみえた。

そのお貰いは、伊之助にもお馴染《なじみ》の人間だった。まっくろな顔をした、七十近い爺《じい》さんで、何年も前から時どきおまさの店に来て、物をもらって行くのを見ている。喰い物ばかりでなく、おまさは父親の着古しなどをあたえることもあった。

爺さんは口をあけて、話しかけるおまさの顔を見ていた。そしてそこでおまさの話は終わりだと合点したらしく、べつに頭をさげるでもなく、ゆっくりと身体を回すと、少しずつ夜の町を遠ざかって行った。手を前に回して、もらったものをしっかりと胸に抱えているのが見えた。

「あら」

おまさはやっと伊之助に気づいたらしく、振りむくと笑いかけた。

「来てたんなら、声をかけてくれればよかったのに」

「うん」

「遅いねえ。いま帰り？」

言いながら、おまさは先に立って店に入った。奥の突きあたりに料理場があり、あとは飯台と樽《たる》の腰かけが一列に置いてあるだけの、細長く狭い店だった。

客が一人いた。二十半ばにみえる職人風の男だった。男は伊之助が入っても、顔をあげずに、皿の肴《さかな》をつついていた。男の前に銚子《ちょうし》が三本ならんでいる。

「今日中に仕上げる仕事があったもんでな。すっかりおそくなっちまった」

伊之助はなんとなく若い客を見ながらそう言い、途中の飯台に腰をおろした。

「腹ァへっちまって、やっとここまでたどりついた。飯くわしてくんねえ」

「あいよ」

「その前に、一本つけてもらうか」

「おかずは平目の塩焼きと、煮染しかないけど。いい？」

「その煮染てえのは、さっきの爺さんにやった残りかね」

「変なことを言うんじゃないよ」

とおまさが言った。

はい、おまちどうと言って酒を運んでくると、おまさはそばに腰をおろして、おあいそに一杯ついだ。

だが、立ち上がらずに伊之助の顔をじっと見た。おまさの顔に奇妙な笑いが浮かんでいる。伊之助は、盃《さかずき》をはこぶ手を途中でとめた。

「何だい」

「こないだは、なんで寄らないで帰ったのよ」

とおまさは言った。伊之助はあぶなく酒をこぼすところだった。

「気づいてたのかい」

「そりゃ気づくじゃないか。バカ見たいに道脇《みちわき》につっ立ってんだから、目だつよ。それでここへ来たのかと思ったら、なんか逃げるみたいにこそこそ帰っちまったじゃないか」

「……」

「あれは、どういうわけ？」

おまさは丸い膝頭《ひざがしら》で、伊之助の腿《もも》をこづいた。そのとき不意に男の声がした。

「おかみさんよ。魚焦《こ》げてんじゃねえのかい？」

「あら、済みません」

おまさは、あわてて立って行った。伊之助はそれではっとして、盃を口に運んだ。

女の勘はすごいもんだ。見ねえふりして見ていやがった、と思った。おまさのそういう女らしい気配りが、伊之助の足をこの店にむけるのである。おまさと会って、たわいない世間話をしているだけで、味気ないひとり暮らしに乾いた気持が、自然にうるおってくるのだ。

それにおまさは、いまでは伊之助のことなら、なんでも心得ているようだった。喰い物、着る物の好みはもちろん、いつの間に聞き出したのか、伊之助は話したおぼえもないのに、伊之助の家のどこに何があるかまで知っていた。伊之助は、おまさと一緒にいると、時どき自分の家にいるような気がすることがあった。

だがそういうおまさを、伊之助がふと眼がさめたように、うとましく思うことがあるのも事実だった。おまさといると、気がほぐれて楽しかったが、伊之助は一方で、二度と女と所帯を持つことはすまいと、心に決めてもいたのである。

女房のおすみに死なれてから、伊之助は女に対してひどく臆病《おくびょう》になった自分を感じている。ただ臆病なだけでなく、奥深いところに嫌悪感《けんおかん》があった。

おすみは、そこにちょうどいいのがいるからと貰った女ではなかった。惚《ほ》れ合って一緒になった女だった。五年もの間、同じ家に住み、子供が生まれなかったから、夜はひとつ布団《ふとん》にくるまって寝ていたのである。

その女に裏切られた驚きと怒りが、まだ何の決まりもつかずに心の中に残っていた。女を、遠くから眺めるような気持がひとつ、いまの伊之助にある。

ただおまさは別だ、と伊之助は思う。おまさとは小さいとき、裏店の路地に持ち出した盥《たらい》で一緒に行水をつかった仲だった。遠くから見さだめる必要はない、と思っていた。おまさは、伊之助が何でも話せるたった一人の女だった。

だがそれでも、おまさがこちら側に深く踏みこんでくる気配を感じると、伊之助は、やどかりが殻にこもるように、かたくなに手足をちぢめたくなる。

おまさがあるとき、汚れ物を洗いに行ってあげようか、と言ったことがある。伊之助はそのときは生返事をして切り抜けたが、そのあとひと月ほども、おまさの店から遠ざかった。おまさは、いまではそういう伊之助の心を読んで、暮らしに踏みこむようなことは言わない。

——だが、こんなことがいつまでつづくもんじゃねえ。

伊之助はいまもそう思った。おまさの気持はわかっていた。ほんとの気持を言えば、おまさは、伊之助の汚れ物も洗い、家の中の掃除もしたいのだ。そのうえ飯も炊《た》きたいと考えているに違いなかった。

利口な女だが、おまさはただの女でもあった。伊之助に所帯を持つ気がないことを見抜いているから、一度も口に出したことはないが、それでもおまさは、いつの間にか伊之助にもたれかかってくる。それに気づくと、伊之助が少し押し返す。

そういう押しくらまんじゅうのような仲が、ここ二年ほど、二人の間につづいているわけだった。

「どうする？　ご飯にする？」

おまさの声に、伊之助ははっと顔を上げると、銚子をつかんで振った。空になっていた。いつの間にか帰ったらしく、若い客の姿は見えなかった。

「いや、もう一本もらおうか。熱くしてくんな」

「わかってますよ」

とおまさは言った。板場にもどって行くおまさに、伊之助は、おめえも一杯やんなよと声をかけた。

おまさの盃に酒をついでやりながら、伊之助はさっきの客のことを聞いた。

「はじめての客かい」

「そうでもないわ。夏の終りごろにちょっと来て、このごろまた二、三度来ているみたい。どうかしたの？」

「いや。どうってこともねえが……」

伊之助は口をにごしたが、この店に入ってきて、男を見た瞬間に、心にひっかかったことが、まだ残っている感じがした。はて、こいつは何だろう。

「いつの間にか帰っちゃったようだな。気がつかなかったぜ」

「考えごとしてたからでしょう？　何を考えてたか知らないけど、こわい顔してたもの」

おまさはくつくつ笑った。

「ありゃ何の職人かな」

「そんなこと知りませんよ。聞いてみたこともないから。それより、さっきの返事はどうしたの?」

「何でえ、返事ってえのは」

「白ばくれて」

おまさは酒をつぎながら、伊之助を軽くにらんだ。ぞくりとするような、色気のある眼つきになった。

「なんで逃げたのって聞いたじゃないか」

「ああ」

その返事なら、さっき考えてある。伊之助は弁解した。

「逃げたわけじゃねえ。そこまで来てよ、家の方に人が来る約束だったのを思い出したんだ」

「だれ? 女のひと?」

「冗談じゃねえや。爺さんだよ。おめえも知ってる清住町のとっつぁんよ」

「ああ、あのひと。元気なの?」

「元気は元気だが、心配ごとを持って相談にみえたのさ」

「…………」

おまさは口をつぐんで、伊之助をじっと見つめた。

「とっつぁんの娘で、おようさんて子がいただろう。ここにもとっつぁんと一緒に二、三度来たことがあるはずだ。もっともあのころは、まだ子供だった」

「忘れた、あたし。そのひとがどうかしたの？」

「行方知れずになった」

「まあ」

おまさは息をのんだ顔になった。

「行方知れずって、そのひといまいくつ？」

「二十一だそうだ」

伊之助は、弥八に聞いた事情を、ひととおりおまさに話した。おまさは、聞きながら、何度も驚きの声をあげた。

「それで、どうするの？」

と、おまさが言った。

「捜してあげるの？」

「どうしたものか、まだ考えているところさ」

重苦しい顔で、伊之助は言った。弥八には、一応当ってみると言ったが、伊之助はまだその捜しものに手をつけていなかった。

朝、五間堀端にある彫藤の家に行き、決められた仕事をやり、暮れ六ツ(午後六時)には仕事場を出て家に帰る。たまにおまさの店に寄って二、三本の酒を飲むぐらいで、あとは家でごろごろするような暮らしだった。

ほかに何をしたいとも思わず、仕事場に行くほかは、外に出ることもなかった。そういう暮らしに気持も、身体《からだ》も慣れてしまっていた。おようを捜しにかかれば、そこには危険が待っているだろう。億劫《おっくう》だった。今日ここに来たのは、自分では決められず、おまさの考えを聞いてみるつもりもあったのだ。

不意におまさが言った。

「でも、知らないふりは出来ないでしょ?」

四

「そりゃ、そうさ。放《ほ》っとくわけにはいかねえよ」

「そろそろ、なにか喰《た》べる?」

おまさが言って、立ちあがった。そして伊之助が茶漬けをくんな、と言うと、うなずいて一たん表に出てのれんをしまった。

何年もそうしてきた、身についた器用な身ごなしで、おまさはのれんを店の中に入れると、お茶漬けの支度をするために、板場の方に行った。

板場のくぐりを入るとき、一瞬おまさの腰の線があらわになった。伊之助は、それまでおまさのうしろ姿を追っていた眼を、すすけた板場にそらして言った。

「でもな。おれがやらなくたって、地元の岡っ引もいるし、清住町でおれのあとをやっている、浅吉ってえおやじもいるんだ。連中に頼むっていうテも、ねえわけじゃねえ」

「………」

「なにも、おれが首突っこまなくたってな」

「でも、弥八さんは、伊之さんに捜してもらいたいって言ったんでしょ？」

板場から、ひょいと顔だけのぞかせて、おまさが言った。

「きっと、夜も眠れずに心配してるよ、あのおじいさん」

「まあ、そうには違いねえが」

「捜すだけなら、やってあげたら？　伊之さんが岡っ引にもどるっていうのは、あたしも好かないけど、そういうわけじゃないでしょ？」

――捜すたって、物を捜すようなぐあいにはいかねえや。

茶漬けを喰い、おまさの店を出て、二ツ目橋の方に歩きながら、伊之助はそう思った。

およう はおそらく、表むきは飲み屋で、裏は淫売宿《いんばいやど》のようなところで、男たちを相手に働かされているのだと思われた。そして出入りはきびしく見張られて、一歩も外に出ることが出来ないような日を送っているのだ。

どんなわけで、そんな境遇に落ちこんだのかはわからない。だがおようが、自分から好んでそんな場所にいるわけではないことは、かんざしにそえてあった手紙の、たどたどしい文字を読めばわかる。

おようはそういう境遇にいるのだ。居場所をつきとめるだけでも、骨が折れるはずだった。そしてたとえ捜しあてたとしても、そこから身柄を救い出すということになると、おれ一人の手には負えまい、と伊之助は感じている。

だが、それはそれで、またあとの相談になるだろう。

——捜すだけは、しなくちゃならねえか。

おまさが言うとおりだ。べつにそれで岡っ引にもどるわけでもない。

暗く、寒い夜だった。二ツ目橋に出るまで、武家屋敷のはずれで提灯《ちょうちん》をさげた中年の男一人と、常盤《ときわ》町の娼家《しょうか》のそばで、三人連れの若い男たちと、すれちがっただけだった。

自分の足音だけを聞きながら、伊之助は二ツ目橋を渡った。川は暗く、水音も聞こえなかったが、川沿いの町のどこかで、外に灯を洩《も》らしている家があるとみえ、遠いところで、一カ所水が光っているのが見えた。

厄介な仕事を背負いこんだ気の重さは、依然として残っていたが、伊之助はやっとおようを捜してみる気になっていた。

次の日の夕方七ツ半（午後五時）ごろ、伊之助は彫藤の家を出ると、小名木《おなぎ》川の方にむかった。

手に風呂敷《ふろしき》包みをさげている。包みは、伊之助が彫り上げた版木で、仙台堀沿いの伊勢崎《いせざき》町に住む、摺師《すりし》にとどけるものだった。

べつにこちらからとどけなければならないほど、急ぐ品ではなかった。黙っていてもてんぐ安という摺師が取りにくる。あっちの町についでがあるから、とどけましょうと伊之助が言ったのは、仕事から早く退《ひ》けるための口実である。早めに彫藤を出て、仲町の方に回ってみるつもりだった。

彫藤はうさんくさそうに伊之助を見たが、じゃ頼んだぜ、と言った。安が取りにくるのは間違いないことだが、早く渡すに越したことはないのだ。急ぐ仕事のときは、こちらからとどけることも、ままある。うさんくさそうにしながらも、彫藤が文句を言わなかったのはそのためだが、仕事の上で伊之助をあまりあてにしていない証拠とも言えた。

てんぐ安は、しゃくれた顎《あご》を持つ、無口な四十男だった。風呂敷包みを解いて、すばやく版木の一枚一枚に眼を走らせ、彫りを調べたが、おしまいにやさしい声で「あいよ」と言っただけで、持ってきてもらって有難かったとも、上にあがれとも言わなかった。

安が住む裏店《うらだな》を出て、伊之助は仙台堀を南河岸《みなみがし》の万年町に渡った。

――変わった連中だよ。

と、いま会ってきた安のことを思っていた。彫藤とつながっている摺師はほかにもいる。馬鹿市《ばかいち》とか鼻六とか呼ばれる男たちだ。

いつか鼻六が、血相変えて彫藤にどなり込んできたことがある。

「こんな彫りじゃ、あっしは摺れませんぜ」

酒のために、朱を彫りこんだような赤い鼻を持つ鼻六は、そう言うと持ってきた版木を、仕事場の床に叩《たた》きつけた。彫藤は版木を調べ、すぐにあやまった。それは清七という渡り職人が彫ったもので、鼻六が言ったとおり、バレンが引っかかって摺れない代物《しろもの》だった。彫藤がそのあと、酒好きな鼻六に一杯おごったことは言うまでもない。鼻六は気性がはげしく、てんぐ安や馬鹿市はおとなしいが、彼らにはどこかに共通するものがあった。口数が少なく、仕事熱心だった。

つき合う男たちが、そういう連中だということは、伊之助の気持をなごませる。身構える必要もなく、よけいなお喋《しゃべ》りをする必要もない。しっかりした仕事のものをとどければ、それで心が通じた。

伊之助は油堀を渡り、もうひとつ橋を渡って黒江町に入った。そして一たん馬道通りに出てから、大鳥居をくぐり、西念寺横町に折れた。

暮れかかる町に、まだ子供たちが群れて遊んでいた。だが子供たちは、漫然と群れているわけではなく、それぞれの仲間同士で遊んでいた。

伊之助は彼らの間を抜けて、弥八に聞いたみみずく長屋と呼ばれる裏店を探した。二度ほど、通りがかりの人に聞いただけで、その場所はすぐにわかった。

軒の低い裏店に、力なく黄ばんだ日の光が、斜めに射《さ》しこんでいる。その木戸のあたりにも、子供が群れていた。コマ回しに夢中の男の子たち。「子をとろ、子とろ」「さあ、とってみさいな」と騒々しい女の子たち。

伊之助は、子とろの列の中にいる、赤ん坊を背負った少し年かさの女の子に、竹次という男の子はいないかと聞いた。弥八はさすがにもと岡っ引で、そういうことはきちんと聞いておいたのである。

伊之助がそう聞くと、子守りかぶりに手拭いをかぶっているその女の子が、澄んだ声で「竹次」と呼んだ。

するとコマ回しをしていた中から、男の子が一人抜け出して、駆け寄ってきた。弥八は十ぐらいの子供だと言ったが、もっと年下ではないかと思うほど、小柄な子供だった。小柄だが、丈夫そうな黒い顔をし、顔立ちは利口に見える。

「おめえが、こないだ佐賀町の鹿島屋にいるじいさんに、かんざしをとどけてくれた子かね」

伊之助が確かめると、子供は警戒のいろと恥ずかしげな様子がいりまじった顔になり、黙ってうなずいた。

「あそこまでは遠いのに、えらいな」

伊之助は、男の子の顔にうかんでいる警戒のいろを解くように、そう言って微笑した。

「おじさんは、あのじいさんの知りあいだ。じいさんは、あれをとどけてもらって喜んでいたぞ」

子供の顔から、警戒のいろが消え、ほこらしげな表情に変わった。

「少しおめえに聞きたいことがあって来たんだ」

伊之助は地面にしゃがんで、子供とむかい合った。いつの間にか、コマ回しをやめた男の子たちが寄ってきて、二人を取り囲んだ。

「かんざしを渡したねえさんのことだが、そのとき顔を見たかね？」

竹次という子は黙って首を振った。

「顔は見てねえと。すると、おめえから何が見えたんだね」

「手」

「ふむ。それから？」

「あとは着物」

「着物？　どんな着物だったね？」

「わかんねえ」

子供は垂れさがってきた水っぱなをすすり、すぐにまた垂れてきたそれを、手でぐいとこすった。すると、まわりに立っていた子供たちがくすくす笑った。

「赤い着物とか、青い着物とか、花柄だったとかはわかるだろ？　どんな着物だったか、おぼえていねえか」

「青い着物だよ。青くて……」

男の子は空をにらんでから言った。

「白いのがまじってたよ」

「こういうふうにか？」

伊之助は、自分が着ている縞《しま》の袷《あわせ》をつまんで見せたが、子供は首を振った。

「小さくて、白いのだよ」

絣《かすり》らしいな。うん、絣だなと伊之助は思った。

「よし、わかった。よくおぼえていたな。で、おめえはそのねえちゃんの声も聞いたわけだな。なんて言ったって？」

子供にいろいろと聞きただしているうちに日が暮れ、井戸端に出て来た大人が、不審な者を見る眼つきでこちらを眺め出したので、伊之助はようやくそこを切りあげた。

別れるとき、穴明き銭を五つやると、子供はぺこりと頭をさげて、家の方に走って行った。素直に喜びをあらわすところは、てんぐ安よりよほどましだった。それまで二人を取り囲んでいた子供たちが、竹次という子の後を追って行った。

竹次が家に入る前に、もらった五文の金を、明日何に使うか、いずれ彼らの間にひと相談があるのだろう。

――およう に間違《まちげ》えねえ。

西念寺横町の狭い通りを、北どなりの門前仲町に抜けながら、伊之助はそう思った。通りに出たところにそば屋があった。そこで注文したかけそばを喰いながら、伊之助はなおも、子供にかんざしを頼んだ女のことを考えつづけた。

佐賀町の鹿島屋に、年寄の倉番がいる。弥八という名前だ、と女は言った。潜《くぐ》り戸の陰から、女は嚙《か》んでふくめるように、男の子にそう言ったという。

絣の着物を着、白い手をした女だった。およう に間違いないと思われた。だがその顔ははっきりしなかった。伊之助の頭の中には、十六、七のおようの顔の記憶しかない。親を捨てて、やくざな男に走ったおようは変わったろうか。

――だが、見りゃわかるだろう。

そば屋で長い刻《とき》を過ごし、あたりがとっぷりと夜の気配に変わるのを待って、伊之助はその店を出た。

やがて伊之助は、きらびやかな灯にいろどられた町の中に踏みこんだ。そば屋がある表通りの方が、かえって薄ぐらかった。

男たちが歩いていた。そして通りすぎた店の奥から、女の嬌声《きょうせい》が聞こえた。どこかでにぎやかに三味線が鳴り、別のところで、男たちがどっと笑う声がした。昼は眠り、夜に眼ざめる町が、いまいきいきと動きはじめているようだった。

伊之助は足をとめた。そしてすすけた軒行燈《のきあんどん》の下にぶらさがっている亀を、じっと見た。

五

甲羅《こうら》の長さが六寸はあろうと思われる、少し大きめな亀《かめ》だった。むろん死んでいる。行燈《あんどん》からもれる光をうけて、ひからびた首や手足、尾が甲羅の外につっぱっているのが見えた。商いの愛嬌《あいきょう》のつもりかも知れないが、見ようによっては気味が悪い吊《つる》し物だった。風もないので、亀は手足をつっぱったまま、じっと空に静止していた。そして、おれはどうしてこんな高いところにいるのかと思案しているようにも見えた。

間口一間半。すすけた障子がはまっている狭い店だった。その障子に、時どき中にいる人間の影が動き、話し声や、甲高い女の笑い声、陶器の触れあう音などが路上に洩《も》れてくる。

伊之助は上を見上げた。二階づくりになっている飲み屋だった。二階の窓は暗く、しんとしている。

ありふれた飲み屋のように見えた。その隣にも、向い側にもそういう店がならび、その先へ少し行ったところには、道から少しひっこんで小料理屋のような構えの店があるのが見えた。その前の道を、さっきから肩を組みあった男たちが三人、行ったり来たりしている。

一人が別の方向に行こうとし、三人は肩を組み合ってそちらに歩くが、そのうち別のひとりが気づいてほかの二人を引っぱってもどってくるということをくりかえしている。まだ時刻は早いというのに十分に酔った足どりだった。

灯が、少し猥雑《わいざつ》なほどにあかるく、三味線の音が、こもった音色でひびき、酔った客が笑う。そしてすでに一杯きこしめした男たちや、これから酔って、場合によっては女を抱こうと考えている男たちが歩いている。その男たちに、軒下に身をひそめている白い顔の女たちが、作ったやさしい声を投げかける。

こういう町は、ここばかりではない。これだけの光景を見れば、ここもありふれた夜の町と見えなくもない。だが、この町が本当の顔を見せるのは、もっと夜がふけてからだということを伊之助は知っている。

島から帰ってきたばかりの男たちや、賭場《とば》のいかさま師。人を殺したと噂《うわさ》のある男、また、げんに何年も岡っ引に追われているおたずね者などが、深夜にひっそりと飲んでいて、彼らは決して奉行所の手につかまるようなことはない。

そしてある夜は、勘定が高いと文句を言った客が、路上にひっぱり出されて半殺しのめに会い、その悲鳴が細い通りにひびいても、誰ものぞいてみようともしない。そういう町だった。何年か前に、不用意に大金を抱いて、この町に飲みに寄った薬種屋《やくしゅや》の主人が、行方知れずになったのもこの町だった。

少し離れたところで、不意に男の怒声が起きた。男と女がむかい合い、怒った男が、手をふりあげて女を打ったのを伊之助は見た。女が男の袖《そで》をひいたか、それとも男を送って出たそこで、何かのもつれがあったかしたらしかった。

女が鋭い悲鳴をあげた。するとそれが合図だったように、どこからともなく現われた男が二人、女を打った男に寄って行くと、すっと両側から男をはさんだ。二人の男は、左右から真中の男の腕をとったようだった。そして、そのまま三人は仲のいい飲み友達といった恰好《かっこう》で、女があけた戸の内に入って行った。町が、ちらと素顔をのぞかせたように見えた。

伊之助は、男たちと女が、斜め向いの薄ぐらい店に姿を消すのを見とどけてから、振りむいて障子を開けた。

細長い店だった。樽《たる》の腰かけは八分どおり埋まって、客と店の女がもつれあうように坐《すわ》り、酒を飲んでいる。雑然としたざわめきが、暗い灯あかりと、酒の香、煮物の匂《にお》いで濁った店の中の空気をかき乱していた。

伊之助は、入口近くに空いている腰かけをさがして坐った。すぐに女が寄ってきて、注文を聞いた。客は大方酔っていて、顔をあげて伊之助を見る者もいなかったが、店の真中あたりの壁ぎわにある板場から、四十半ばの男が、こちらをのぞいた。

男は品定めをするように、じっと伊之助を見つめている。伊之助は、ほかの客を眺めるふりをして顔を回し、最後に板場の男に眼を移した。男はすぐに眼をそらした。頬が赤ん坊のようにふくれ、赤ん坊の肌のようにもいろに光っている男だったが、福相とは言えなかった。細い眼に巾着《きんちゃく》切りのように、油断ならない光がある。

「こちら、おひとり？」

頼んだ酒と酢だこを運んできた女がそう言った。痩《や》せた女だった。あまりに真白に厚化粧をしているので、年は見当がつかなかった。だが若くはなかった。手にそれがあらわれていた。

「ひとりだ」

「ここに、坐ってもいい？」

「いいさ、おめえも盃《さかずき》を持ってきな」

と伊之助は言った。女は坐ろうとした身体をたて直して、すぐに板場に行った。ふくらみのないうしろ姿だった。

　女は自分の盃を持ってくると、伊之助に酒をつぎ、自分の盃にもついだ。

「あまり見かけない顔だね」

　女はひと口酒をすすると、伊之助をじっと見た。

「ここは、はじめて？」

「ま、そうだ」

「はじめてなのに、ひとりで来たの？」

　女の声に、いくらかしつこい調子が加わった。見かけない顔を眼にとめた板場の男に、何か言いふくめられているのかも知れなかった。

「ここははじめてだが、この町ははじめてというわけじゃねえ。若いころには、よく飲みに来た」

　伊之助は岡っ引をしていたころにのぞいたことがある、二軒の飲み屋の名を口にした。その店は、この町のずっと西はずれの方にある。

「ああ、あそこのお馴染《なじみ》さんだったの」

　女は言ったが、急に伊之助から興味が遠のいた感じだった。女は盃をあけた。

「ずいぶん昔の話ね。二軒ともつぶれちゃって、いまはやってないわ」

「いい店だったがな」

女の盃に酒をついでやりながら、伊之助はほっとして言った。岡っ引の仕事でたずねたことがある店などない方が、ここの仕事をやりやすい。

「酒がうまくて、二階に上がるとお前さんのようなべっぴんさんと仲よく出来たもんだ」

「あら、お口がうまいのね」

女は伊之助に流し眼をくれた。瘦せて、眼がくぼんでいるが、醜くはない女だった。骨ばった身体さえ気にしなければ、この世界の水に染まった女の、崩れた色気はある。

「ここはどうなんだい」

伊之助は、女に顔をかたむけてささやいた。

「上で楽しめるのかね」

「さあ、どうかしら」

と女は言った。女はじろじろと伊之助を見た。

「はじめてじゃ、無理じゃないかしらね」

「一見《いちげん》の客は相手にしないってことかね。それとも金が張るのかね」

「両方だね」

「ほかに……」

伊之助は天井を、板場からは見えないように指を立てて指した。

「人がいるんかい」

「べつに。あたいたちが寝るんだよ。くたびれる商売さ」

女は愛想がいいとは言えないが、そのかわりに率直な口をきいた。

伊之助は顔をあげて店の中を見回した。暗い灯のまたたきにも眼が慣れ、酒を運んだり、男たちに酒をついだりしている女たちの姿は、残らず眼に入ってくる。女は、いまそばにいる女をふくめて七人いた。

だがその中におようはいなかった。女たちは、みな縞柄《しまがら》の着物を着ていたが、伊之助はその中に絣《かすり》の着物を着たおようを探していたわけではない。おようだって、働くときは縞の着物を着るかも知れないのだ。

そういうことにかかわりなしに、おようがいないことは、明白だと思われた。肥《ふと》った女もおり、そばの女のように、瘦せている女もいた。女たちは笑ったり喋《しゃべ》ったりしていた。酒をのせた盆を運んだり、男の肩を打ったりしていた。だがそのどれもが、およではないことがはっきりしてきた。何度確かめてみても違う女たちだった。

ここにくるまでは、ぼんやりとしか見えなかったおようの顔が、女たちを眺めているうちに、頭の中に驚くほど鮮明な形を結びはじめている。少し眼尻《めじり》が上がった、勝気な眼。笑うとき、小指の先が入るほど、くっきりと浮かぶ左頰のえくぼ。そういう女はここにはいなかった。

女に酒をたのむと、伊之助は板場に立って行く女のうしろから、足音をしのばせてついて行った。そして女が板場に首をさし入れたとき、うしろからすりぬけて奥に行った。

つきあたりに古びたのれんがさがっていた。のれんに首をつっこむと、そこは板壁に囲まれた狭い土間で、そこから二階に、急な梯子《はしご》がのびているのが見えた。梯子の上は暗く、人の気配はなかった。冷たい夜気がたまっているだけのように思われた。うしろから肩を叩《たた》かれた。ふりむくと、板場の男が立っていた。

「なにか、用かね。にいさん」

と男は言った。伊之助を見た眼が、険しい光を帯び、客に対する言葉づかいをしていなかった。

「はばかりがねえか、と思ってよ」

伊之助が言うと、男はチョッと舌を鳴らした。そして首を振って、表へ出てやってくださいよ、と言った。

「おしっこなの？　しょうがないね」

と、さっきの女が言い、あたしがついてくから、早いとこやんなよ、と言った。外へ出ながら、伊之助は言った。

「悪いが、出もの腫《は》れものでね」

「こっちだよ」

女は店の横手に案内した。そこにはばかりがあるわけではなく、暗い地面に小溝《こみぞ》が走っているだけだった。

伊之助が小便をする間、女は手をつっこんだ袖を胸に抱いて、寒そうに足を踏みならした。客に逃げられてはならないから、そうして張り番をしているのだった。

「長いねえ」

酒のために長い伊之助の小便に、女は苦情を言った。

「おめえ、名前は何て言うんだい」

「お玉」

「また来てもいいかね」

「いいよ」

女は言ったが、小便を終わって振りむいた伊之助を見ると、少し小声になった。

「あたいが気に入ったんなら、もっと遅くに来ないとだめ。あたしら、泊りの客しかとらないんだから」

「…………」

「それとも今夜泊って行く？」

お玉は不意に胸を寄せて来たが、伊之助は気づかないふりをして、入口の方に歩いた。

「今夜は、金も心細いしな。出直して来よう」

ふん、どうかわかるもんか、とうしろからお玉が毒づいた。

だが、伊之助はむろん、また来ようと思っていたのだ。お玉というこの女が、この町で最初の、おようの行方をさぐる手づるになるかも知れなかった。

障子戸を開けながら、伊之助は一瞬ふりむいて夜の町を見た。おようはいま、この店にはいない。だが、この町のどこかにいてくれればいい、と思ったのである。

やくざ者

一

御船蔵《おふなぐら》の前から、中央寺の塀《へい》に沿った細路《ほそみち》を奥に入ると、弥八が言ったとおりの、裏店《うらだな》があった。

三日前に子供をたずねて行った西念寺横町の裏店には、あふれるほど子供が群れていたが、〈あたけ〉と呼ばれる御船蔵前町の、その裏店はひっそりとしていた。

傾いた軒の上に、間もなく暮れようとする日の光が淡く這《は》っている。伊之助が木戸内に踏みこんだとき、水を汲《く》みに出たらしい四十恰好《かっこう》の女が、桶《おけ》をさげてちょうど腰をのばしたところだったが、女は伊之助を一べつしただけで、すぐに背をむけて、路地の奥の方へ去った。

その家の前に立った。戸をあけて中に声をかけると、返事はなかったが、しばらくして若い男が出てきた。

「お前さんが、由蔵《よしぞう》さんですかい」

「そうだよ」

男は柱を背負うようにつっ立ったまま、さぐりを入れる感じの眼を、伊之助にむけていた。二十半ばの優《やや》さ男だった。背がすらりとして、男ぶりがいい。だが男にしては少し紅《あか》すぎる薄い唇と、細い眼のあたりに、どことなく冷酷な感じがある。だがそれはそれでまた、女にもてそうな顔をした男だった。

「少し聞きてえことがあって邪魔したんだが、ここにかけていいかね」

「聞きてえことって、何だい？」

由蔵は、伊之助が言ったことには答えず、無表情に問い返した。依然としてさぐるような眼を、じっと伊之助に据えている。

「おようさんのことですよ」

「…………」

「行方知れずになったというので、探しているところなんだが、あたしはお前さんに聞けばわかると思って来たんだ」

「どうしてそう思うんだね」

由蔵は眼を細め、一瞬歯をむくような顔をみせたが、すぐもとの無表情な顔にもどった。

「あんた、いったい何者だい？　岡っ引か？」

「いや」

伊之助は首を振った。

「そういう者じゃない。弥八さんの知りあいです」

「ああ、じじいの……」

と、由蔵は言った。眼から、さぐるような光が消えて、由蔵はあくびをした。そして今度はゴミを見るような眼で、伊之助を見おろした。

「こないだ、じいさんもそんなことを言ってここへ来たが、おれが知るわけはねえやな」

「どうして？」

「どうしてって、おようはだいぶ前に、この家をおん出た女だぜ。ことわっとくが、自分で出たんだ。つまりそれで縁が切れた女よ。あとがどうなったかなんてことまで心配しちゃいられねえや」

「いつごろだね？」

「え？」

「この家を出たというのはいつごろ……」

「さあてね」

由蔵はぽりぽりと首筋をかいた。

「三月《みつき》ぐらいになるかな、あれから」

「出るときになにか言わなかったかね。たとえば家へもどるとか、どっか働きに出るとか」

「べつに」

「なんで家を出たのかね。喧嘩《けんか》でもしたかい?」

「おいおい」

由蔵は、ゆらりと柱から背を離すと、すごむような笑いをうかべた。

「ごちゃごちゃとよく聞くじゃねえか。岡っ引みてえな口きいてよ。おれ、これから出かけるんで、いそがしいんだ。いい加減にしてもらいてえな」

「じゃ、ひとつだけ」

伊之助は上がりがまちから立ち上がりながら言った。

「おようさんは、働いていたのかね。それともお前さんと一緒になってからずっと家にいたのかね」

「そんなことを、お前さんに言う義理はねえや」

由蔵は言ったが、急に険しい顔つきになった。

「おい、見そこなっちゃいけねえよ。これでも男だ。おようには、ちゃんと喰わしていたぜ」

「そうかね。あたしはお前さんが博奕《ばくち》打ちだと聞いたもんでね」

由蔵が血相を変えて何か言いかけたとき、外から人が入ってきた。若い女だった。ただいま、と言ったが、女は土間に伊之助が立っているのを見て、とまどったような顔をした。そして軽く頭をさげると、わきをすり抜けて上にあがって行った。

化粧の香が伊之助の鼻を搏《う》った。頬骨が張って、勝気そうな顔立ちをしていたが、黒ぐろとした眼に色気のある女だった。

背をむけながら、伊之助は言った。

「また、来ますぜ」

「またなんぞ来てもらいたかねえな。気色《きしょく》悪い男だ」

由蔵はわめいた。

木戸を出て、川端の御船蔵の方にむかったが中央寺の塀がひとところ柊《ひいらぎ》の生垣になっていて、そこから境内にもぐりこめるようになっているのを目にとめると、伊之助は躊躇《ちゅうちょ》なくそこから境内に入った。

中央寺は森下町にある長慶寺の末寺で、曹洞宗《そうとうしゅう》の寺だが、境内にむかし大船安宅丸に安置されていたという大日如来像《だいにちにょらいぞう》をまつる御堂《みどう》があることで、人に知られている。薄ぐらくなってきた境内には、人影もなく、そこからは遠い庫裡《くり》のあたりに、もう灯がともっているのが見えるだけだった。伊之助は葉が落ちつくした欅《けやき》の大木の陰に身をひそめた。そして由蔵が姿をあらわすのを待った。

出かける、と由蔵が言っていたのは、これから賭場《とば》に出かけるつもりだと思われた。

――もうそろそろ出てくるころだ。

賭場に人間があつまる時刻は、おおよそのところ決まっている。その時刻が間近いのが、伊之助にはわかっていた。

当分、あの男のあとをつけ回してみるか、と伊之助は思っていた。

おようが行方知れずになった一件について、由蔵は何かを知っている、という感触が働いていた。それは、伊之助が最初におようのことを口にしたときにしめした、由蔵のひどく緊張した素ぶりから来た感触だった。

だが由蔵は、その知っていることを隠したのだ。知っているから、最初は伊之助を岡っ引か手先と間違えて緊張したが、そういう筋の人間でないと知ると、あとはとぼけてごまかそうとしたように見えた。

――だが、知ってるだけのことは吐かせてやるぜ、若《わけ》えの。

伊之助は、ひさしぶりに岡っ引にもどったようなつぶやきを、胸の中で吐き捨てた。

おようの行方不明に、由蔵が一枚嚙《か》んでいるかどうかはわからないことだった。だが、多分に由蔵のあとをつけ回していれば、おようにかかわりのある人間にぶつかるかも知れないという気がするのだ。もっとも、そういう人間がいないと見きわめがついたときは、うまい手とは言えないが、改めてヤツをしめ上げるしかない。

それはそれとして、今夜これからどうするかは、迷うところだった。とりあえず由蔵のあとをつけるか、それとも由蔵が出かけたあと、裏店に引き返して、一緒に住んでいるさっきの女に会ってみるか。女にも、聞きたいことはある。

伊之助が腕を組んだとき、生垣の外に人影が動いた。柊の垣根の上を、胸から上だけ見せて、由蔵が通りすぎて行く。

少し間を置いて、伊之助は垣根の口から外に出た。細い路地のつきあたりに、黄味を帯びた西空がひろがり、その下を御船蔵の黒ぐろとした建物がふさいでいる。

由蔵の姿が、路地を出て左に曲がるのが見えた。その姿を見送ってから、伊之助は今度はためらいなく、裏店の方に引き返した。

由蔵の家の戸をあけると、香ばしい味噌汁《みそしる》の香が顔を包んだ。出て来た女は、伊之助をみて、あらと言った。女が身構えたのがわかった。

「なに、ちょっと聞き忘れたことがあったもんでね」

と伊之助は言った。こわがらせないように、白い歯を見せて笑った。それで女がこわがるのをやめたかどうかは、障子越しの明かりを背にしているので、よくわからなかった。

「うちのひとなら、出かけたよ」

「いや、それはいいんだ。あんたに聞きてえことがあるんだよ」

女は黙った。影のように黒い身体《からだ》に、かたくなな感じがみなぎるのが見えた。

「おようというひとのことを聞いてるかね。あんたの前に、ここにいたひとだ」

「聞いてるよ」

「どんなことを聞いたかね」

「いろいろさ」

「ここにいたとき働いていたかどうか、働いてたんなら、どこへ行ってたとか、そういうことは聞いたかね」

「働いてたにきまってるじゃないか。女を喰わしていけるようなタマじゃないんだから、あいつは。そういうことはあんただって知ってんじゃない？」

女は、不意に勢いよく言った。

「それはそうと、あんたいったい、誰なんだい？」

「あたしは、そのおようというひとの知りあいだよ。おようが行方知れずになったことは、由蔵に聞いたかね」

「行方知れず？」

女は微《かす》かに身顫《みぶる》いした。そして、やっと膝《ひざ》をついて、首を振った。

「それで捜してるんだが、この家にいたころ何をしてたかも、はっきりしないんでね。あんたの亭主が何もしゃべらないから」

「どこで働いていたかは知らないよ。だけど働いてはいたんだ。ちょっと待って」

女はそこで味噌汁のことを思い出したらしく、台所に立って行ったが、もどって来るとすぐに言った。

「そうそ。通い女中で働いてたんだって。そのひと」

「行く先は？」

「そこまでは聞いてないね。あいつはね、亭主なんてもんじゃないんだよ。女をめっけてきて、喰い扶持《ぶち》を稼《かせ》がせて、自分は博奕で日を暮らしてる男なんだから」

「…………」

「あたしも何人目からしいよ。それでいまは水茶屋で使ってもらって、あいつを養っているというわけ。そういうことは一緒になってからわかったんだ。後のまつりさ」

「しかし、よく博奕の元手がつづくな」

「金主がついてんじゃないの？　時どき大金を持ってきて見せるから」

「金主？　大金てえと、どのくらいだね」

「十両もですよ、旦那《だんな》」

そいつは大金だ、と伊之助は思った。

「時どきと言うと？」

「さあ、月に一度ぐらいかな。でも、すぐに博奕で使っちゃうらしいけどね」

自分が来たことは口どめし、女が働いている水茶屋の名前を聞いて、伊之助は外に出た。由蔵に対する疑惑が、ひとまわり大きくなったのを感じていた。

二

だが、その日のあと、伊之助は四、五日彫藤の仕事場を離れられなかった。急ぐものでないからと言われて、そのままにしていた経本《きようほん》と摺物《すりもの》の彫りがたまっていて、版元から催促が来たのだ。

どちらも、伊之助の仕事だった。伊之助は腰を入れて仕事し、最後の日は、五ツ半（午後九時）までかかってようやく仕上げた。

いそがしい仕事に、ひと区切りついた翌日は、わりあいひまだった。伊之助は遊び半分のような仕事をして、夕方になると、少し早目に仕事場を出た。そして真直《まっすぐ》、〈あたけ〉にむかった。

六間堀を渡った八名川町で、そばやが眼についたのでそばを喰った。おまさの店まで行って、煮肴《にざかな》と味噌汁《みそしる》で飯を喰いたかったが、そこまで行くと遠まわりになる。そのうえおまさと、なんだかんだと話したりすれば、けっこう手間どりそうだった。日足が短くなっていた。そんなのんびりした飯を喰っているひまはなかった。

しかしそれにしても、そばやのつゆはばかに塩からかった。伊之助はどちらかといえばしょっぱい味が好みで、つけ物にも醤油《しょうゆ》をたらして喰うほうだが、このつゆはしょっぱすぎる。

そう思って店の中を見回したが、客は伊之助一人だった。板場の、湯気をたてている釜《かま》のそばに、色の黒いがんこそうな親爺《おやじ》が立っているだけだった。親爺は伊之助の眼を感じとったらしく、じろりと見返したが、その眼つきがなかなかのもので、きつい。

あの顔じゃしょっぱいわけだ、と思いながら、伊之助はわびしくどんぶりの中のつゆをすすった。

中央寺の境内に入ったときは、あたりはもう薄ぐらくなっていた。伊之助は足音をしのぶようにして境内を横切り、この前隠れた欅《けやき》のかげに身をひそめた。柊の垣根はじき眼の前にある。このまま暗くなっても、そこを人が通ればわかりそうだった。

待つほどもなかった。由蔵が現われた。由蔵はいそいそとした足どりで、小声で端唄《はうた》まで口ずさみながら、生垣のむこうを通りすぎた。ひと呼吸おいて、伊之助も境内を出た。

西空には、洗ったように白い光が残っていたが、その下の江戸の屋並みは、暗い夜の色の中に、一色に溶けようとしていた。御船蔵をすぎた大川端のあたりも、歩いている人の形がやっとわかるぐらいで、顔はよく見えなかった。あとをつけるには、楽な時刻だった。

これじゃ、踵《かかと》を踏んづけるほどうしろへついても、おれとはわかるめえ、と伊之助は思った。

灯をともした屋根船が、新大橋の下をくぐって上流の方にのぼって行った。そして由蔵は逆に、小名木川にかかる万年橋の方にむかっている。二間ほど前に、その黒っぽい姿が動いていた。まだ端唄を口ずさんでいた。昨夜の賭場《とば》で、よほどいい首尾でもあったのかと、伊之助は思った。

籾蔵《もみぐら》の長い塀のそばを過ぎると、深川元町の町通りになるが、由蔵はわきめもふらず川端を歩きつづけ、やがて万年橋を渡った。そして渡り切ると、小名木川に沿って左に曲がった。

——まさか、あそこじゃあるめえな。

伊之助は暗がりの中で、にが笑いした。このあたりは、伊之助にとっては元の古巣である。どこに何があるかは、いまでも頭の中にきっちりしまいこまれている。

賭場というものは、蜥蜴《とかげ》のしっぽのようなものだった。手入れをすると一たんは散るが、またすぐに出来た。あまりきびしくすると、やくざな男たちは旗本屋敷の中間《ちゅうげん》部屋や、商い店の納屋《なや》にまで入りこんで、そこで博奕を打った。

海辺大工町《うみべだいくちょう》の裏町に、無住の小さな寺がある。戸田家の下屋敷の塀が、すぐ眼の前に見える場所にある寺だった。そこが久しい前から賭場になっていた。伊之助も、二度ほど手を入れたことがある。

だが無駄だった。十日もすると、相変らず血走った眼をした男たちが、そこに集まって金を賭《か》けているのだった。

伊之助が思い出したのは、この寺である。由蔵の足はそっちにむいているが、まだそこだとは決まったわけではなかった。賭場はずっと東の木場《きば》にもあるし、南の方の冬木町にもある。

間もなく高橋だった。由蔵がその橋の前を通りすぎて、まだ東に行くようなら木場に行くのだ。そして高橋から右に折れて、大通りを霊岸寺の方にくだるようなら、冬木町の賭場に行くと見てよい。

伊之助がそう思ったとき、由蔵の姿がふっと消えた。高橋の手前だった。伊之助はあわてて足を早めた。

すると海辺大工町の、まばらな灯に照らされて、裏町に行く路地を遠ざかる由蔵の姿が見えて来た。由蔵が、長福院という寺名だけが残る、無住の古寺に行こうとしていることは、もう明らかだった。伊之助は足をゆるめた。場所さえわかれば、急ぐことはない。

寺は昔のままだった。本堂はまっくらで、賭場がそのわきの十五、六畳はたっぷりある、広い部屋で開かれているらしいのも、もとの通りだった。

彼らはそれで、その筋の眼をごまかした気になっているのだ。実際本堂に入っただけでは、無人の寺と変わりなかった。だが闇《やみ》の中で、じっと耳を澄ますと、ぴったり締め切った重い襖戸《ふすまど》の奥から、じきに岸にさわぐ波音のようなざわめきが聞こえてくるのである。

伊之助は、暗い本堂を横切って、右手につづく襖をそっとあけた。すると、いきなり眼を射る光と、集まっている男たちの黒い背が、視野にとびこんできた。光は、立ちならぶ百目蠟燭《ひゃくめろうそく》の火だった。

そっと中にすべりこんだが、誰も伊之助を振りむかなかった。伊之助は、男たちのうしろにすすんで、そっとあたりを見回した。胴元《どうもと》は新田《しんでん》の辰という男のはずだったが、姿は見えなかった。盆ござについている四十近い年恰好《としかっこう》の中盆が、賭場を差配しているらしかった。

二十人あまりの男たちが、百目蠟燭の光の下に集まっていた。半分は盆のそばに坐《すわ》り、あとの半分は、そのうしろに立ったり坐ったりしながら、首をのばして勝負をのぞいていた。

由蔵は、もう盆わきに坐っていた。中盆の声にうながされて金を賭けながら、まだにたにた笑っているのは、やはり何かいいことでもあったらしかった。由蔵は、〈あたけ〉の裏店《うらだな》を出てからこっち、ずっと上機嫌だった。

間もなく、誰かに見られているという感じがした。そっと眼を移すと、壺振《つぼふ》りのうしろに立っている男が、こちらを見ていた。見ているだけでなく、その三十半ばの男は、伊之助と眼が合うと、軽く合図を送ってきた。陰気な顔つきの男である。

伊之助は、目立たないように明かりに背をむけると、部屋を出た。そして外に出ると本堂の横手まで歩いて男を待った。男が出て来たのは、それから四半刻《しはんとき》（三十分）近い時がたってからだった。

「またはじめたんですかい、旦那《だんな》」

男は伊之助とむかい合うと、ささやくようにそう言った。兼吉という名で、岡っ引をしていたころ、伊之助が密告者として使っていた男である。頭が働き、用心深い男だった。

「いや、そうじゃねえよ」

「でも、博奕《ばくち》を打ちに来たわけじゃ、ござんすまい」

兼吉は低い声で笑った。

「そうじゃねえが、人に頼まれて捜し物をしている」

言いながら伊之助は、この男はまだ密告者として使えるのかどうか、と考えていた。兼吉は、賭場仲間を平気で売る密告者だったが、正真正銘の博奕打ちでもあるのだ。

この男が、昔のつき合いは忘れたと考えているなら、こうしてむかい合っていること自体が危険だった。兼吉がさっきの部屋に走りこんで、ひと言、元岡っ引が入りこんで来たぞとわめけば、たとえここから逃げ出したとしても、匕首《あいくち》を持った男たちがどこまでも追ってくるのは間違いなかった。

だが、男がいまも密告者として役立つのなら、今夜ここで顔が合ったのは、僥倖《ぎょうこう》と言ってよい。

「由蔵のことで聞きたいことがあるのだが」

伊之助は懐《ふところ》をさぐって財布を出すと、中からつかみ出したものを渡した。兼吉は、指で渡されたものを探った。

「二分《ぶ》だよ」

「こいつはどうも」

と兼吉は言った。そして声はなめらかになった。

「何を知りてえんですかい」

伊之助はほっとした。この男は、昔一たん切れたつながりを、もう一度つなぎ直してもいいと思い始めたのだ。声に、一歩近寄ってきた気配があらわれている。

「由蔵のことは、よく知ってるかね」

「まあな」

「由蔵は、よその賭場にも行くのか」

「いや、ここだけだ」

「毎晩かい」

「年がら年中さ。よっぽどの雨風でもなきゃ、金なんざなくとも来る。おれら、これが仕事だからな」

男はまた低く笑った。陰気くさい、気にさわる笑い声だった。

「マメなもんですぜ」

「来れば、朝までいるわけだな」

「そいつは旦那もご存じのとおりでさ。町木戸が閉まるから帰ろうてもんじゃや、ありませんぜ」

「途中から抜けるって晩だってあるだろう」

「由《よし》が、ですかい？」

兼吉はちょっと考えこむように黙ったが、やがて自信なさそうに言った。

「そいつは気づかなかったな」

「由蔵に小遣いをくれるような人間がいるかね」

「そりゃ、いるでしょう。あいつは女をたらすのがうまいから」

「少なくとも、一度に十両という金だぜ」

「ヘッ？」

兼吉は小さく叫んだ。

「そいつは女じゃねえな。別の筋ですぜ、旦那」

「おれもそう思う」

「そんな金づるをつかんでいるとは気づかなかったな。どっか、うまいところに喰らいついたな」

と兼吉はつぶやいた。

「由はつき合っている友だちがいるかね」

「いないね」

兼吉はあっさり言った。

「男には好かれねえたちの男だ」

大きに、役に立ったぜと言って、伊之助は兼吉の肩を叩《たた》いた。それで兼吉は背をむけたが、ふと気づいたというふうにもどってきた。兼吉は小声で言った。

「さっきの話だが……」

「………」

「そう言えば、由が途中で帰ったのを、二、三度見たことがありますぜ」

「途中というと何刻ごろだね」

「五ツ（午後八時）ごろだな。女のとこに行くんだと思ったが、違うんですかい」

由蔵が金主に会うのは、そういう晩かも知れない、と伊之助は思った。昼ではない。まともな博奕打ちなら、昼に寝て身体を休めている。その金主をつきとめたら、由蔵が何を隠しているかが知れるかも知れないという気がした。兼吉と別れると、伊之助は境内を出て、町に引き返した。そして道わきに小さな甘酒屋を見つけると、そこに入りこんで甘酒を注文した。五ツ過ぎまで、そこで由蔵を張ってみる気になっていた。

三

「そういうわけで、いまは由蔵のあとをつけているとこですがね」

鹿島屋の倉番小屋に、弥八をたずねた伊之助はそう言った。

「その金主というやつをつきとめるには、少し手間がかかりそうですぜ」

「ごくろうだな、伊之」

弥八は言った。だが弥八は、少し不満そうだった。

「しかし、そのやり方も結構だが、お玉とかいう女とつながりがつきそうなら、そっちからたぐる方が、話が早《はえ》えのと違うかい」

「とっつぁん」

　伊之助は、なだめるように微笑した。

「おようちゃんは、いまはあの店にはいない。どっかに移されちまったと思いますぜ。こいつは、よしんばあの町を、しらみつぶしにたずね回っても、容易には見つかるめえと、覚悟しなきゃならねえことです。あせりは禁物だ」

「………」

「あっしの考えを言いますとね。移されたのは、多分とっつぁんが、いきなりあの店をたずねて行ったからだと思うんだ。気ィ悪くしてもらうと困るが」

「あれはまずかったかね」

「まあな。だからお玉という女と顔をつないだと言っても、おようちゃんのことを持ち出すのは先の話だ。ここは辛抱が大事です。由蔵の筋よりも手間がかかると考えた方がいい」

「………」

「由蔵は、おようちゃんが自分で家を出たと言っているが、どっかに通いで女中をしていたということはあっしに隠したんです。なぜ隠したりするかですよ。あっしは由蔵はおようちゃんの行方知れずに一枚噛《か》んでいると思う。だから何もしゃべらねえのだという気がしますがね」

「それじゃ、あとをつけるなどとかったるいことをやるより、あの野郎をしめあげて白状させたらどうかね」

「いざとなれば、あっしもそれをやるつもりですよ。だが、由蔵がどっかから金をもらっているという話が、気にいらねえんで。おようちゃんの行方知れずには、もっとなにか、からんだ話があるという気がするもんですからね」

「…………」

「そいつを確かめねえと、由蔵にもうかつに手出し出来ねえように思いますよ。あっしの勘があたっていれば、由蔵はその本筋の話のごく近いところにいるってわけです」

「なるほどな。おめえが言うこともわかる」

「へたに由蔵をつついて、そのためにおようちゃんに悪いことが起きたりしたら、えらいことですからな」

弥八はおびえたような顔で、伊之助を見た。伊之助はあわてて言った。

「なに、いまのところは、おようちゃんは安心でさ。どっかで働かされているだけです。その方が、やつにとっても得ですからな」

だが、伊之助のその言葉は、慰めにはならなかったようだ。弥八は暗い顔のまま、うつむいて茶をすすった。そして低い声で、よくわかった、おめえにまかせるよと言った。

伊之助は、それ以上慰めようもなく、弥八から眼をはずして家の中を見回した。三尺の、ひと一人立てばいっぱいになる入口の土間。三畳に押入れがついているだけの、せまくるしい部屋だった。その奥に、辛《かろ》うじて煮炊《にた》きが出来る程度の台所がくっついている。畳は赤くやけ、押し入れの襖紙《ふすまがみ》には何かのしみが広がり、隅の方は紙がやぶけている。粗末なその倉番小屋が、三十年近くも岡っ引の仕事を勤めあげた弥八の、いまの住居だった。

伊之助は、自分も茶碗《ちゃわん》をとりあげ、茶をすすった。茶はさめて、ぬるんだ白湯《さゆ》をすするように味気なかった。伊之助は腰をあげた。

「由蔵の筋から、何かつかめたら、また来まさ」

「頼んだぜ、伊之」

「風邪ひかねえようにしてくだせえよ。寒くなって来ましたからな」

伊之助は小屋を出た。店の建物の角を曲がるとき、小屋をふりかえると、外に出てこちらを見ている弥八の姿が黒く見えた。背後の小屋の灯が、心細いほど暗かった。

小屋のうしろに棟《むね》を連ねる土蔵が、黒々と闇《やみ》にわだかまっている気配がして、その一角がぼんやり明るみ、そのあたりから男たちの叫ぶような声が聞こえて来る。この時刻にも、蔵では品物の出し入れがあって、人びとが働いているらしかった。その男たちの姿は見えなかった。

店の前に回ると、そこも二、三枚の戸が開いたままで、中から明かりが洩《も》れて来る店先で、数人の男たちが車から荷をおろし、中に運んでいるのが見えた。

伊之助は門わきの潜《くぐ》り戸を開けて、外に出た。そして、町を横切る掘割を二つ渡ると、大川の河岸《かし》に出た。右手に黒くつづいているのは、仙台藩伊達家《だてけ》の蔵家敷の塀《へい》だった。

川から吹きあげてくる風が冷たかった。秋も終りだな、と思ったとき、別れて来た弥八の姿が眼に浮かんできた。小屋から外の闇に流れ出ている、黄ばんだ灯《ほ》かげの中に、じっと立ってこちらを見送っていた小さな身体が、やりきれないほどはっきり眼にのこっている。

——心配だろうな。

子供を持ったことがないから、伊之助には親の本当の気持というものはわからない。

だが弥八の心配が、身を切られるようなものだろうという見当はつく。

伊之助が、おようとはじめて会ったのは、弥八の手先のような形になって、清住町の弥八の家に出入りするようになったころである。そのころ弥八は、表通りに狭いが一軒のしもた屋を借りて住んでいたのだ。そしておようは十かそこらだった。まだ子供だったが、飯の支度とか、拭《ふ》き掃きもてきぱきとやり、利発そうに見えた。

伊之助がそう言うと、弥八は眼を細めて笑った。そして、なあに、まだネンネでね、と言っていたのだ。

弥八は、おようがまだ二つのときに女房に死なれた。それっきり後をもらわなかったのは、ひとつは、これはというひとが見つからなかったということだったらしい。あいまいな言い方でだが、伊之助にそう洩らしたことがある。

岡っ引は、人に嫌われる仕事である。金があるわけでもない子持ちの岡っ引に、後添いの話がまとまらなかったとしても、それほど不思議なことではない。

だが、弥八は一時は後添いをさがしたかも知れないが、その時期が過ぎたあとは、その気持をさっぱりと捨てたのではないかと、伊之助は思うことがあった。

仲のいい親子にみえた。伊之助が、夜分に弥八の家をたずねると、よくおようが父親の肩をもんでいた。二つのおようを抱えて、弥八は途方に暮れたに違いないが、その時期をどうにか乗り切ってしまうと、弥八は、親子二人だけの暮らしの方が、気楽でいいと思ったかも知れなかった。

伊之助にそう思わせる空気が、そのころの弥八の家にはあったのだ。子供のころに両親に死に別れ、叔父の家で育った伊之助は、弥八親子を見て、親子というものはいいもんだ、と妬《ねた》ましく思ったりしたのである。

物も少なく、小ざっぱりと貧しげだったが、その家はしあわせそうに見えた。だがいつも、しあわせというものは、そう長くはつづかないのだ。そして気づいたときには、そのしあわせに、つくろいようもないほど大きな穴があいていたということも多いのである。

弥八の不幸がはじまった時期ははっきりしている。岡っ引をやめた弥八は、隣町の佐賀町で住み込みの倉番になった。そしておようを奉公に出した。奉公先は菊屋という、一色町の太物《ふともの》問屋だった。

それでうまくいくはずだったのである。おようにも、世間を見せないとな、とそのころ弥八は伊之助に言った。奉公しているうちに、嫁にもらいてえなどという男が出てくりゃ、御《おん》の字というもんだ。

弥八は無欲な男だった。娘を嫁にやり、自分は自分で、老いの身の始末をつけられれば、それで十分だと考えているようだった。

そして実際に、はじめはうまくいっていたのである。弥八がいる佐賀町と、およようが奉公している一色町とは、さほど離れているわけではない。おようは外に出たついでに、時どき弥八をのぞきに来たし、そのつど袖《そで》の下に隠して来た、店からのもらい物の甘いものを渡したり、時には小遣いをくれたりした。

おようの足が、父親から遠のいたのは、いつごろのことだったろう。弥八がそれと気づいてたずねて行ったとき、おようはもう菊屋にはいなかったのである。

太物問屋をやめたおようが、両国橋に近い水茶屋で働いていたのを見つけ出したのは、弥八に頼まれた伊之助である。おようは、濃い化粧をし、男友達がいた。

娘がそうなったときの父親は、みじめであわれなものだった。弥八はおようを叱《しか》りつけたが、娘の変わりようがのみこめなくて、どこかおろおろと様子をうかがっているようにもみえた。

それでも一度は、おようは弥八の倉番小屋にもどって、しばらく一緒に住んでいたのである。だが長いことではなかった。じきにどこへ行くとも言わずに出歩くようになった。時には小屋にもどらない夜もあった。そして怒られると、父親があっけにとられるような、達者な口で口答えした。

だがそのころは、弥八は愚痴を言ったり、叱ったりはしても、まだ本気で怒っていたわけではなかろう、と伊之助は思うのだ。おようはしようのない女になっていたが、まだ父親につながっていたからだ。

弥八が、こらえていた怒りを一度にぶちまけたのは、おようがやくざ者の由蔵とできたときだった。弥八はおようの首筋をつかんで、小屋から外に引きずり出し、それまでどこにしまっておいたかと思うような膂力《りょりょく》を使って、軽がるとおようを地面に叩《たた》きつけた。そして親子の縁を切るから、どこへでも出て行け、と言ったのである。そして、その夜およう は家を出て行った。

死ぬときも、おように知らせねえつもりだった、と弥八は伊之助に言ったが、それは本当の気持だったろう。いっそそこまで思い切らなければ、中途はんぱな気持では、親は苦しくてどうにもならないのだ。

だが、おようから手紙がとどいたとき、弥八は娘がもう一度もどって来たと感じたに違いなかった。そしていまはそのおようを見つけ出せないいらだちに、心を焼かれる思いをしているはずだった。

――だが、昔のようにすぐに見つかるとは思えねえ。

と伊之助は思った。両国の水茶屋で働いていたおようを見つけたときは、一緒に問屋をやめた女友だちがいて、その友だちにそそのかされたことがはっきりしたので、糸をたぐるのは造作もなかったのだ。

だが、今度は違った。およう は二十一の女だった。小娘が、親に内緒で働き先を変えたというのとは事情が違う。二十一のおようが、一人で親元に帰って来られないような事情が、今度の事件のうしろに隠されているのだ。

気づくと、おまさの店のそばまで来ていた。そして伊之助は急に、立っていられないほどの空腹と疲れを感じた。彫藤の仕事が混《こ》んで、かけそば一杯も腹に入れるひまがなく〈あたけ〉に駆けつけたせいである。

おまさの店の灯が、今夜ほどあたたかく見えたことはなかった。伊之助は障子をあけると、足をもつれさせて店の中に入った。腰かけにつまずいて、ひどい音をたてた。

「どうしたの？　伊之さん」

板場から顔を出したおまさが、悲鳴をあげるような声を立てた。

四

伊之助は、甘酒屋にはいると、いつも坐《すわ》る入口のそばの腰かけにかけた。疲れていた。三十前にはおぼえなかった、どこか人を無気力に誘うような疲れが、身体を覆《おお》っている。

亭主が黙って甘酒を運んできた。由蔵をつけ回して、もう半月にもなる。その間ひと晩もかかさず、往来ばたのこの店に立ち寄っているので、伊之助はそろそろ馴染客《なじみきゃく》の扱いをされかかっている。亭主は、伊之助をよっぽど甘酒が好きな男とみているに違いなかった。

甘酒がうまかった。舌がやけるほど熱い、椀《わん》の中味を、二口、三口すすりこむと、伊之助は幾分元気をとりもどした。

「とっつぁん、景気はどうかね」

伊之助は、背が低く髪に白いものが目立つ、甘酒屋の亭主に声をかけた。奥の席に、ひそひそと話しこんでいる男女ひと組の先客がいて、伊之助の声に顔をあげたが、すぐに自分たちの話にもどって行った。

「景気ですかい」

へ、へと亭主は笑った。笑うと欠けた前歯があらわになって、愛嬌《あいきょう》があるかわりにじじむさく見える。

「いけませんや、旦那《だんな》。もともと、客が混んで困るというほどの商売じゃありませんがね。それにしても、もうかりませんや」

そろそろしっぽを出してもいいころだ、と伊之助は由蔵のことを思いながら、表に眼をもどして甘酒をすすった。

疲れているのは、仕事がいそがしくなっているせいもある。二、三日前、版元から勝川春潮の美人絵の仕事が入った。彫藤ほどの小さな彫り職に、いま売り出しの美人絵師の仕事が入るのはめずらしいことなので、彫藤ではいま、ほかの仕事の手をやすめて、その彫りにかかりきりになっていた。

伊之助も、いつものように暮六ツ（午後六時）にさよならというわけにはいかず、ぎりぎりまで仕事場にいて、それから大いそぎで〈あたけ〉の見張り場所に駆けつける。

そういうせわしなさと、半月も由蔵につき合って夜ふかししてきた疲れが、だんだんに身体の中にたまってきたようだった。

だが、岡っ引をやった経験からいうと、狙《ねら》った男を見張って、そろそろ疲れが出てくるころが、いちばん大事な時期なのである。そのときに、疲れに負けて気を抜くと、不思議に相手に逃げられたし、気を抜かずに、辛抱してそこを乗り切ると、相手がしっぽを出してくるということが多かったのだ。

「お客さん、そこ、寒かったら閉めてもらってよござんすよ」

と、甘酒屋の亭主が言った。伊之助が、外ばかり見ているので、寒さを気にしていると思ったらしかった。

「いや、寒かねえよ」

振りむいて、そろそろ五ツ（午後八時）かい、と言おうとしたとき、半分開いている障子の外を、ちらと人影が横切った。

伊之助は立ち上がって外をのぞいた。懐手《ふところで》で、背をまるめた男が、店の前を通りすぎて行った。由蔵だった。

伊之助は無言で板場に引き返した。何ごとが起きたかと、あっけにとられた顔で見ている亭主の前に、金をほうり出すと、伊之助は後もみずに店をとび出した。

由蔵はべつにいそぐでもなく、伊之助の五、六歩前を歩いて行く。そして裏町から海辺大工町に出、小名木川沿いの道を左に曲がった。つまりさっき来た道を、家の方にもどって行く恰好《かっこう》になる。

伊之助は、黙々とあとをつけた。南の空に傾いているが、月が出ている。由蔵を見失うようなことはなかった。時どきすれちがう人がいたが、人影は稀《まれ》だった。

おかしいな、という気がしたのは、由蔵が思い惑うふうもなく万年橋を北に渡ったときだった。万年橋から左に折れて南にくだれば、清住町、佐賀町とつづいて、永代橋がある。そして橋向うの町がある。

あるいはそっちに行くつもりかも知れないという見込みははずれて、由蔵は、夕方出て来た自分の家の方にもどって行くのだ。足どりは軽い。

由蔵が、賭場《とば》を途中で抜けるのを、二、三度見た、と兼吉に聞いたとき、伊之助はそれだという気がしたのである。由蔵は、そのときに金主に会うに違いないと思ったのだが、それは伊之助の勘にすぎない。

だから、毎晩由蔵が〈あたけ〉の裏店《うらだな》を出るところから後をつけている。万一賭場にむかわずに、まっすぐどこかへ行くのを警戒したのだが、これまでそういうことは一度もなかった。

そして、今夜である。五ツ（午後八時）過ぎに賭場から町に出て来た由蔵を見たときは、勘があたったという気がしたのに、由蔵が行く方角は、伊之助の張りつめた気持を裏切るようだった。

籾蔵《もみぐら》の塀がつきると、右手はしばらく武家屋敷の夜目《よめ》にも黒い塀がつづき、左手の川端は石置場だった。夜ふけには、歩くのにさびしい場所だが、そこにもまだ人通りがあった。ぽつりぽつりと提灯《ちょうちん》のあかりが見える。

そして大川には、灯をともした船が往《ゆ》き来《き》していた。人声が聞こえそうな近いところを、中に明るい灯の色をつつみこんだ屋根船が通りすぎて行った。

だが、舟の往き来も、やがて巨大な御船蔵の囲いにさえぎられて見えなくなった。間もなく、中央寺の塀につきあたる。

——お。

見ろ、と伊之助は思った。安堵《あんど》と同時に、強い緊張が身体《からだ》をとらえて来た。由蔵は中央寺と〈あたけ〉の間の道の前を素通りした。そのまま、同じ足どりで町に沿って、両国の方に歩いて行く。

御船蔵と〈あたけ〉の前をすぎると、川端は石置場で、右手はお旅所になる。そのあたりは娼家《しょうか》が軒をならべ、夜鷹《よたか》がひっそりと塀ぎわに立ったりしているところである。

由蔵が立ちどまっている。話しているのは、顔を白手拭《てぬぐ》いで隠した夜鷹らしかった。話が長い。野郎、女遊びに来たのかな、と思ったとき、由蔵が手をあげて女と別れるのが見えた。

由蔵は一ツ目橋を渡った。そしてまっすぐ回向院《えこういん》の門前の方に歩いたが、不意に左に折れ、元町の、このあたりで土手側と呼ぶ場所に入りこむと、そこではじめて一軒の家に入った。

由蔵が入ったのは、通りから少しひっこんで玄関がある料理屋だった。玄関先につるした軒行燈《のきあんどん》に、御料理、更科《さらしな》と書いてある。

伊之助は、静かにその店の前から離れると、あたりを見回した。甘酒はさっき飲んだばかりで、思い出してもげっぷが出るが、そば屋か飯屋でもないかと思ったのである。腹が空《す》いていた。

だがあいにくなことに、更科のむかい側には、そうした喰い物屋は見当らなかった。小間物屋、青物屋、それにしもた屋がならんでいるだけだった。小間物屋はもう店を閉じ、青物屋だけ半戸を開けて、中に灯が見えるが、まさかそこで買物をしながら、由蔵を待つというわけにはいかない。

伊之助は、一軒のしもた屋の塀わきにもぐりこみ、そこから更科の店先を見まもった。灯の光も、月もさしこまない闇《やみ》の中には、冷えが立ちこめていた。伊之助は身ぶるいした。冷えが身体にこたえるのは、晩飯を喰っていないせいもあるようだった。

だが、由蔵は意外に早く姿を現わしたのである。由蔵は、料理屋を出て路上に立つと、さぐるように左右の路上を確かめた。そしてさっき来た道を歩き出した。

――やはり恐喝なのだ。

由蔵の用は多分それだ、と伊之助はこれまで考えてきたことを心の中で確かめた。

由蔵が、手間どらずに店を出てきたのは、いまそこでもらう物をもらったからだ。相手はそのあと膝《ひざ》をまじえて一杯飲むという人間ではないのだ。

店を出て、由蔵がきょろきょろとあたりを見回したのも、中でやましいことをしてきたからだろう。それが落ちつきのない挙動に現われていた、と思う。

由蔵のあとを追いかけ、強引に懐の中をあらためて、もらったはずの金を確かめ、誰にもらったかと、しめあげて吐かせたい衝動が動いたが、伊之助は我慢した。

そういうやり方をしたところで、一歩でもおように近づけるとは思えなかった。おようは、水面の真中に浮いている藁屑《わらくず》のようなものだった。いま、伊之助はそこに竿《さお》をのばそうとしているが、へたにつつけば、藁を手もとに引きよせるどころか、かえって遠くに押しやることになる。

——誰かが、あとから出てくるはずだ。

そう思いながら、伊之助は塀わきの狭い闇の中に、じっと立ちつづけた。金主、というのは、つまり由蔵に脅迫されている男だろうが、その男が誰かがわかれば、かならずおようを捜す手がかりが浮かび上がってくる。その確信は強まるばかりだった。

だが、その男は現われなかった。そして遠くに四ツ（午後十時）の鐘のひびきを聞くと間もなく、更科の女中らしい女が、外に出てきて、軒行燈の灯を消しはじめた。

伊之助は、まっすぐ女のうしろにすすんで、声をかけた。

「少し聞きたいことがあるんだがね」

ひとつを消し、もうひとつの行燈に手をのばしていた女は、ひっと息をつめたような声を洩《も》らして伊之助を振りむいた。

「ああ、びっくりした。いまごろ、だれ？」

「聞きたいことがあるんだ」

伊之助は繰り返して、さっき塀わきから出るとき、すばやく紙に包んだ小粒を、女に握らせようとした。だが、女は伊之助の手を振りはらった。

「こんな遅くに何さ。それより、あんたいったい誰なの？」

「なに、通りがかりの者だ。さっきここから出て来た男が、むかし知ってた男によく似ていたもんでね。ここへ、よく来るのかどうかと思ってね」

「よく来る人なら、どうだって言うの？」

「金を貸してあるんだ。人違いじゃ悪いからさっきは黙って見過したが、もし本人なら、こんなところで飲み喰いが出来るんだから、貸しを返してもらおうかと思ってね」

「何てひと？」

「由蔵て男だ。年は二十四、五。ちょっとした優《や》さ男だが、もとは博奕《ばくち》打ちだった」

「知らないね、博奕打ちなんて」

女は吐き捨てるように言った。

「うちは品のいい旦那衆がいらっしゃるので信用がある店なんですから、そんなひとが来るはずはありませんよ」

「じゃあいつ、誰かに招《よ》ばれたんだ」

と伊之助は言った。

「今晩の、その品のいい旦那衆の客の中で、さっき言った若い男を招んだ方はいませんかい」

「いませんよ、そんなひと」

女は相変らずそっけない口調で言ったが、伊之助がべつに怪しい人間でもないと見きわめたらしく、聞かれたことに答える口ぶりになった。

「お客さんが来れば、あたしら出迎えますからね。誰が来たかは、たいがいわかりますよ。でも、あんたが言うようなひとは来なかったね。もうこのぐらいでいいでしょ?」

三十前後の、頬骨が張った顔の女中に、伊之助は、もう一度小粒の包みを握らせた。

明日改めて来ようと思ったのである。女は、今度はこばまずに、黙って受け取った。

――由蔵に会ったはずの男が、更科から出て来なかったのは、どういうことだ。

女と別れて歩き出しながら、伊之助は思った。やがて答は二つしかないと思った。男は泊ったか、でなければその店の人間なのだ。だが、それは明日確かめることだ、と伊之助は思った。

五

次の日。伊之助はゆっくり朝寝をした。そしていつもなら彫藤の仕事場で、版木の上に身体をかぶせて仕事をしている五ツ（午前八時）ごろに起き、飯を炊《た》いて喰った。親方が怒っているだろうな、と思った。春潮の美人絵は七枚連作で、彫藤だけでなく、峰吉も圭太《けいた》も期日にまにあわせようときりきり舞いしているはずだった。その最《さ》中《なか》に遅れて行くのだから、怒られるのは眼にみえている。

だが、伊之助は、朝の出がけに、どうしても昨夜の料理屋に寄って行きたかった。そしてそこで由蔵に会ったはずの男を確かめないと、仕事場に行っても落ちつかない気がした。

――怒られても仕方ねえな。

と覚悟した。彫藤は、めったに職人をどなるなどということをしない男だが、怒るとかなり徹底して荒れる。眼の前にある物、彫り台も道具箱も蹴《け》とばし、彫りかけの版木を床に叩《たた》きつけ、ぷいと外に出て行ったりする。激昂《げっこう》するたちである。今日はそういうことになるかも知れなかった。

飯を喰い終わり、身支度をととのえると、伊之助は家を出た。すると井戸端で声高に何かおしゃべりをしていた女たちが、話をやめていっせいに伊之助をみた。

「これからかね」

その中の一人が声をかけてきた。おろくという女房だった。亭主の桑吉は青物の担《にな》い売りをしている。

「ゆうべ遅かったもんでね」

「このごろ毎晩遅いじゃないか」

おろくは、意味ありげな笑い方をした。ほかの女たちも薄笑いをうかべて、じろじろ伊之助をみた。三十を過ぎて一人で暮らしている伊之助を、女たちはどういう素性の男かと思うらしかった。井戸端で顔が合ったり、路地で立ち話をしたりするとき、女たちはすかさずさぐりを入れるような口をきいた。

伊之助は女房に死なれたことと、瓢簞堀《ひょうたんぼり》そばの彫師の家で働いている版木彫り職人だということは話している。もと岡っ引をしていたことは、言っても益ないことだと思っていたし、打ち明けるつもりもなかった。

だが女たちは、それだけでは満足しないふうにみえた。やめて三年もたつ岡っ引という仕事が、まだ伊之助から匂《にお》うとでもいうように、どこかへだてた口をきく。そしてやはり、この男、この裏店《うらだな》に来る前は何をしていたのか、という眼で伊之助をみるのである。

「仕事が混んでるもんでね」

「あんなこと言って」

と別の女が言った。

「いいひとでも出来たんじゃない?」

女たちはどっと笑った。伊之助は苦笑して、軽く手をあげると木戸をくぐって町に出た。

晴れた空に、気持よく日がかがやいていたが、空気は肌寒く、乾いていた。伊之助は御台所町の通りを、まっすぐ西に歩き、松坂町一丁目と旗本の土屋家の屋敷の間を左に入り、相生《あいおい》町の通りに出たところで今度は右に曲がった。その道が突きあたったところが、ゆうべの料理屋がある町だった。

更科《さらしな》の前に行くと、ちょうど小女が店の前を掃き、打ち水をしているところだった。昼も飯を喰わせる家らしかった。伊之助はほっとした。

名前は聞いていなかったが、様子を言うと十五、六のその小女は、すぐにゆうべの女のことをわかって、奥から連れ出してきた。

「あら、あんたなの」

とゆうべの女は言った。家の中で掃除でもしていたらしく、紅《あか》い襷《たすき》をしていた。まだ化粧をしていない顔に小じわが浮かんで、女の年齢を示していた。まだなにか用なの？　と女は言ったが、伊之助が握らせた小粒の効き目が、まだ残っているらしくて、ゆうべのようにつっけんどんな口調ではなかった。

「あれから家にもどっていろいろ考えたんだがね」

「…………」

「ゆうべのは、やっぱり由蔵に違いないと思えて来てね。こんなところで旦那方《だんながた》と飲み喰いしてるんなら、ひと声かけりゃよかったと、くやしくって眠れなかったわけよ。ヤツには三両という金を貸してある」

「三両も？」

女は眼をみはった。

「そうよ。しがねえ職人が、やっとためた金だ。貸したのは、ま、わけがあることだからいいのだが、ヤツはそれっきりだったからね。ゆうべ、半年ぶりで由公の姿をおがんだというわけさ」

「あんたから逃げているんだね」

「そういうこった。それでゆうべ由公を呼んだのがどういうおひとかわかれば、そのひとに話をつけてもらうことも出来るんじゃねえかと思ってな」

「さあ、どうかしらね」

「一ぺん、奥でそこのところを確かめてくれねえかな。あんたは、そんな男は来なかったと言ったが、あっしはこの眼で見たんだから」

「いいよ、聞くだけなら」

女はあっさりと背をむけようとした。伊之助はちょっと待ってくれと言った。

「由公に会った旦那というのは、ゆうべここに泊ったんじゃねえかと思うんだがね。あいつが一人で出て来たところをみると」

「それがどうだって言うの？」

「いや、ゆうべ泊ったひとなら、すぐにわかるんじゃねえのかい」

「あんたも野暮なこと言うね」

女はにやりと笑った。

「こういうところに来る男衆てのはね。女連れか、でなけりゃここへ来てから芸者衆なんかを呼ぶんだよ。みんな泊りだよ」

「そうかい」

「ごくろうなことだねえ、あんたも」

女は少しからかうような眼で、伊之助をみた。

「でも聞いてあげるわ、おかみさんに。三両という金は大金だもんね」

女が店の中に入ると、伊之助は腕組みして待った。掃除の小女は先にひっこんでしまったので、玄関先は静かだった。時どき前の道を人が通りすぎるだけである。

やがて足音がして、さっきの女が玄関から出て来た。そして伊之助をみると、顔をしかめて手を振った。

「だめだめ、おかみさんに怒られちゃったよ」

「なんで？」

「お客さんのことを、外のひとにしゃべるもんじゃないって」

「………」

「でも、あたしもあんたに悪いからね。ゆうべは頂いたしさ。ほかのひとにも聞いてみたんだよ。あんたが言う、由公とかいう男がゆうべ来たかって」

「それで？」

「来てないんだよ。ね、あたしが言ったとおりさ。案内のねえさんというのがいるんだけど、そのひとが知らないんだから、来てないんだよ」

「背がすらりとして、二十四、五の優《や》さ男だって聞いてくれたかい？」

「言ったよ。でも誰も見なかったってさ。あんたの見まちがいじゃないのかねえ」

「すると、ゆうべ泊った旦那方のお名前なんてのも、教えちゃもらえないわけだね」

「だめよ。六、七人泊ったと思うけど、あたしはあまりよく知らないしさ。おかみさんに聞くわけにいかないんだから」

「わかった」

と伊之助は言った。収穫はなかったわけである。伊之助は、わざとがっかりした様子をつくってみせた。

「ねえさん、あんたに頼みがある」

もしも今度、由蔵をこの店でみかけたら、ほかのひとには内緒で、誰に会ったかつきとめておいてくれ、と伊之助は言った。そのときはべつに礼をするとほのめかすと、女は承知した。

由蔵を、おかみさんというひとはべつにして、ほかの女たちが一人もみていないということは、どういうことだ、と伊之助は思った。

伊之助は竪川《たてかわ》べりに出て、川ぞいにまっすぐ二ツ目橋まで歩き、橋を渡った。川水に砕ける日の光が冬のものだった。数日して季節は師走《しわす》に変わる。そのあわただしさが、橋の上を行きかう人の足どりにあらわれているようだった。

――多分、こうだろう。

と伊之助は思った。由蔵とその男は、更科のどの部屋で会うと、手順が決まっているのだろう。だから由蔵は、玄関からずかずかとその部屋に行って、金をもらってくるのだ。話すのは二言、三言だろう。だから店を出て来るのが、あんなに早かったのである。

だからと言って、由蔵とその男がその部屋で落ち合うのを、誰も知らないというのはおかしい。多分更科のおかみ、あるいは主人といった人間は承知していることなのだろう。ただほかの雇人には知らせていないのだ。ということは、その男は由蔵に会うことを、人に知られたくないのだと考えることが出来るようだった。やはり恐喝がにおう。

――べつの手を考えなくちゃな。

と伊之助は思った。更科のおかみや主人をついても、うまい返事は聞けそうもなかった。さっき会った女中に、一応のつながりを残しては来たが、そのつながりが生きるのは半月後かひと月後になる。そうのんびりはしていられなかった。

彫藤の仕事場に入ると、三人とも懸命に版木を彫っていた。誰も伊之助を見なかった。

「遅くなっちまって」

入口でわびた伊之助を、ひょいと顔をあげて彫藤がみた。とたんに彫藤は怒り狂った眼になった。そして握っていた鑿《のみ》を右手に持ちかえると、いきなり伊之助めがけて投げつけた。

「この怠けもんが！」

彫藤が鑿を投げつけるところをみた圭太が、あっと叫んで立ち上がった。峰吉も顔を上げた。圭太の声で彫藤は我にかえったようだった。自分も立ちあがって、声をかけた。

「伊之、怪我《けが》したか」

「いえ」

伊之助はとっさにつかみ取っていた鑿を、彫藤に返した。

「かんべんしてください。ちょっとわけがあって遅くなっちまったが、今夜は居残りでやりますから」

「あたりめえだ」

と彫藤はどなった。一瞬のおどろきがさめて、さっきまでの腹立ちがもどって来たらしかった。彫藤の顔は、またまっ赤になった。

「この彫りはな、日限まできっちり納めなきゃならねえ仕事だ。一人だって遊んでるひまはねえ」

「わかってまさ」

「わかってねえ」

彫藤は咆《ほ》えたてたが、やっと息を静めて言った。

「で、何刻《なんどき》まで居残りする」

「五ツ（午後八時）までにしておくんなさい、親方。今夜は行くところがあるんで」

彫藤は強く舌打ちした。

「おめえ、女が出来たな」

「いえ、野暮用でさ」

圭太がくすくすと笑った。すると彫藤はそっちにも、野郎気を入れて仕事をしろ、とどなった。

六

五ツの遠い鐘の音を耳にすると、伊之助は鑿《のみ》と木槌《きづち》を道具箱にしまった。彫藤が、いやな顔をしてじろりと見たが、伊之助は気づかないふりをして、前かけを取り、手もとの蠟燭《ろうそく》の灯を吹き消すと仕事場を出た。

圭太と峰吉は、まだ居残りをしている。さすがにちくりと胸が痛んだが、そのうしろめたさを押し殺して、伊之助は夜の町に出た。

三間町の彫藤の家を出て、隣の深川元町の横町を南に突っ切ると、行徳街道に出る。道幅五間の広い道だが、人通りは少なかった。

はるかな前方、富川町をはずれて左右を武家屋敷の塀《へい》にはさまれたあたりに、ゆらゆらと動いている提灯《ちょうちん》のあかりがひとつ見えるだけである。

道は富川町をはずれたところで、岸和田藩の下屋敷にぶつかり、そこから奇妙な曲がり方をして小名木川の岸に出る。伊之助は小名木川にかかる新高橋を渡った。橋の東に川船番所の灯が寒ざむと光っているほかは、川筋は闇《やみ》につつまれていた。

片側に扇橋町の町屋、片側に亥《い》ノ堀川が流れる河岸《かし》の道を、伊之助は背をまるめ、腕組みを深くして寒さをこらえながらいそいだ。間もなく師走《しわす》になるという思いが、足の運びをせわしなくした。

島崎町の角を十間川に沿って右に曲がる。そして次の三好町《みよしちよう》にある一軒のしもた屋の前で、伊之助はようやく立ちどまった。格子戸《こうしど》がしまっている普通のつくりの家だった。家の中から障子に灯が映っている。

伊之助は戸をあけて土間に立った。

「とっつぁんはいるかね」

声をかけると、足音がして人が出て来た。

二十過ぎの若い男だった。若いがひと眼でかたぎでないとわかるような身なりと、険しい眼つきを持つ男だった。

男はそれでも板の間に膝《ひざ》をついて言った。

「どなた?」

「清住町の伊之助と言ってもらえばわかる。とっつぁんにお目にかかりてえと、取りついでくんな」

男は薄あかりにすかしてみるように、しばらくじっと伊之助を見たが、無言で立つと奥にひっこんだ。

伊之助はしばらく待たされたが、やがて男が出て来て、どうぞと言った。男の後から、伊之助は長い廊下を歩いて奥に入った。表は何の飾りもない家だが、一歩奥に入ると柱から建具から、贅《ぜい》をつくした住居だった。昼のうちなら、戸の外に値打ちものの樹《き》や石を配置した庭が見られるところである。

主《あるじ》は山鹿屋徳右ヱ門という。十間川の南の吉永町に材木屋の店を持っている。そこで材木を扱い、片手間に木場人足の人入れも請負っている。だが山鹿屋の贅は、その店がもたらしたものではない。深川に三カ所もある賭場《とば》からあがるテラ銭が、山鹿屋の富の正体だった。

吉永町の店は世間にむける顔にすぎない。山鹿屋は世間には見せないもうひとつの顔を持ち、そこでは新田の辰という名で呼ばれていた。亥ノ堀川の東、砂村新田から出て来た男だから、そう呼ばれる。

新田の辰は、奥の部屋で若い女に肩を揉《も》ませていた。赤ら顔の五十過ぎの男である。細い眼の眼尻《めじり》がさがり、薄い唇の両端が、逆に上に切れているので、辰の赤ら顔は、いつも笑っているように見える。

辰は若いころ、相撲取りになるつもりで江戸に出たという。その噂《うわさ》はうそであるまい、と思うほど、大きな身体をしている。だが大きな身体は老いて、皮膚がたるんでいた。三年前に会ったころより年寄じみたな、と伊之助は思った。

「よう、清住町の旦那《だんな》かね。変わりはねえかね」

と辰は言った。膳《ぜん》の上に、喰いちらした肴《さかな》と徳利がならんでいる。顔が赤いのは、地の肌のせいばかりではないようだった。

「ごきげんのようだな、とっつぁん」

と伊之助は言ってあぐらをかいた。

「へへへ。まあな」

と言って、辰は襖《ふすま》ぎわに膝をついている若い男に、おめえはいいから、失《う》せろと手を振った。

「おめえじゃねえ。おめえはもっとしっかり揉め」

辰は肩につかまっている女に言った。女は鼻をならして、あら、まだ揉むんですかと言い、伊之助にちらと流し眼を送ってきた。

「ところで、こんな夜ふけにどうしたい」

「うむ。頼みがひとつあって来た」

「頼みとは、殊勝なことを言うじゃねえか。この博奕打《ばくちう》ちによ」

辰は女のように甲高い声で笑った。笑うと辰の眼は、鑿で刻んだ、ただの裂け目のようになる。その顔のまま辰は言った。

「もっとも、おめえさんは岡っ引をやめたんだっけな。いまは何で喰ってるね？」

「版木彫りだ」

「へえ、おめえさんにそんな器用な腕があるとは知らなかったな。それじゃ喰いっぱぐれる心配はねえや。ところで用は何だい」

彼はそれが癖の、人を引っぱりまわすような言い方をした。辰は顔に似あわず緻密《ちみつ》に働く頭を持つ男である。人をはぐらかすお喋《しゃべ》りの間に、もとの岡っ引が、夜の夜中にたずねて来たのは何のためかと考えているに違いなかった。

「大工町の賭場に顔を出したいんだがね。賭場の兄さん方にそのことを通しておいてもらえねえかね」

「顔なんざ、いくらでも出しゃいいじゃねえか。金持ってくる客を追い返すようなしつけは、野郎たちにしてねえぜ」

「いや、素性を知っているのがいて、騒がれると困る」

「なるほど、袋叩《だた》きにあうのが恐《こえ》えか。そういうことはねえことじゃねえからな」

辰は脅すように言った。だが伊之助は、その顔を無表情に見返してつづけた。

「それに、遊びに行くわけじゃねえのだ」

「じゃ、何しに行く？」

辰は細い眼をじっと伊之助に据えた。

「じつはある男をつけているんだが、そいつがあの賭場に入りびたりというわけでね」

「つける？　おめえさん、ナニとまだ切れちゃいねえのかい？」

「いや、そういう筋の仕事じゃねえよ。道楽さ」

「道楽だと？」

辰はまた女のような笑い声を立てた。そして、ついでにうしろにいる女に、もっと力を入れて揉めと言った。

「なにさ、ちゃんと力を入れてんじゃないか」

女は言いかえし、辰の肩越しに、伊之助の方にイーッという顔を作ってみせた。辰は気づかない。

「で、誰だい？　賭場のもんじゃねえんだな？」

「いや、客だ。由蔵という男だ」

「由蔵？」

辰の眼が一瞬光ったような気がしたが、その光はすぐに消えた。

「由蔵なら知ってるぜ。いっぱしの博奕打ちのつもりでいるが、まだひよっ子だ。その由蔵を、なんでつける」

「そいつは言えねえな」

「言えねえだと？」

辰は、はっはっと笑った。

「それじゃこの話はチョンだ。こっちにも、版木彫りの頼みをきかなきゃならねえ義理はねえからな」

辰は話は終わったという身ぶりをし、喉《のど》の奥まで見えるような大あくびをした。だが伊之助は腰を上げなかった。にこりともしないで、辰のあくびが終わるのを待った。

「何でえ、まだ話をつづけようってつもりかい」

辰はあごがはずれそうな大あくびで、眼尻ににじんだ涙をぬぐいながら言った。

「無駄だ」

「そうは言わせねえぜ、とっつぁん」

「……？」

「とっつぁんには、貸しが残っている」

「貸しだと？」

辰は、もうひとつ小さなあくびをつけ加えながら言った。

「おめえさんに借りなんざねえ」

「四年前に、千歳屋《ちとせや》を抱き落としにかけた一件があるぜ」

と伊之助は言った。

抱き落としというのは、顔馴染の客を、儲《もう》けさせてやると持ちかけていかさま博奕の仲間に引き込み、そのいかさまをしくじったふりをして逆に金をまき上げる、悪質な詐欺賭博《さぎとばく》だった。千歳屋という清住町の種物屋《たねもの》は、三百両という大金をだまし取られて首を吊《つ》り、一家は四散した。千歳屋は、倍にしてやると言われて、女房子供の着物まで質に入れてその金を用意したのである。

伊之助は、その一件が抱き落としだという証拠を押さえて、新田の辰をしめ上げたが、そのことを上司の半沢清次郎には言わなかった。

千歳屋は、骨の髄まで博奕にそまっていた。店は破産寸前で、家の中にもつくろいようがないほどひびが入っていた。抱き落としがなくとも、いずれその家は自滅する運命にあったと思われていたのである。

一件をあばいて辰に縄を打つよりも、貸しをつくって、辰の口から賭場に集まるならず者たちの動きを聞き出すほうが利口だと思えた。四年前の伊之助は、そういう考え方に馴《な》れた岡っ引だったのである。

この取引きは成立したが、伊之助が辰からぜひとも聞き出したいと思うようなことが、何も起きないうちに、間もなく伊之助は岡っ引をやめた。

「古い話だ」

辰は嘲笑《あざわら》うように言った。もっとも辰の顔は、本人にそのつもりがなくとも、いつも笑っているように見える。

「とっくに帳消しになった話だ。いまごろ何をいいやがる」

「いや、古い話じゃねえ」

伊之助は強く言った。

「いまでも、おれが半沢さんに持ち出せば、とっつぁんの手がうしろに回るぜ。一枚嚙《か》んだどころじゃねえ。お前さんが先に立って指図した仕事だからな」

「おれを脅す気かい」

辰の笑顔の上に、何とも言えない凶悪な表情がひろがった。伊之助は無表情に見返して言った。

「そのつもりさ」

男二人がにらみ合った気配に、辰の肩を揉んでいた女が、手をひいて身体《からだ》をすくめた。

「いい度胸をしてら」

不意に辰は言った。甲高い笑い声をはさんだ。

「阪木彫りにはもったいねえ」

「…………」

「よかろ。朝に中盆の富之助が来るから、おめえさんには手を出すなと言っておこう」

「頼みますぜ」

と伊之助は言った。

外に出ると、寒気がどっと身体を包んできた。東の空に月が出ていた。いまのぼったばかりらしく、気味が悪いほど赤い月だった。

明日の晩から、ぴったり由蔵にくっついて、つけ回してみようと伊之助は思っていた。由蔵はそれほど度胸がある人間ではない。つけられていると知れば必ずうろたえる。そして例の金主だか、恐喝されている人間だかに会おうとするようならしめたものだ。

——そこが、おようを探す一番の近道だ。

と伊之助は思った。その考えは動かなかった。

七

由蔵は、時どき伊之助を振りむいた。一度は立ちどまって険しい顔をし、伊之助を待ちうける恰好《かっこう》を見せたが、伊之助が足もゆるめずに近寄って行くと、すぐに眼を伏せ、また前をむいて歩き出した。

——更科《さらしな》へ行くつもりだ。

途中から、伊之助はその考えに確信を持った。由蔵が、海辺大工町裏町の賭場《とば》を出たのが、この前更科へ行ったときと同じ五ツ（午後八時）過ぎだった。

そして今日の夕方、由蔵の後ろにくっついて賭場に行ったとき、伊之助は密告屋の兼吉から、胸がさわぐような情報を手に入れている。

「由のやろう、昨夜あれから賭場を抜けましたぜ」

兼吉はそう言ったのである。伊之助は、新田の辰にわたりをつけ、富之助という中盆と顔をつないだあと、毎晩由蔵をつけて賭場に通っていた。

つけられていると思わせるのが目的だから、大っぴらに由蔵のあとについて賭場に乗りこむ。しかし昼の仕事があるから、由蔵につきあってそこで夜を明かすというわけにはいかなかった。

町木戸がしまる四ッ（午後十時）には、亀沢町《かめざわ》の家にもどるように賭場を出る。そのあとの見張りは、兼吉に頼んだ。その網に、はじめて魚がかかってきた手ごたえがあったわけである。

「あれからてえと、おれがここを出たあと間もなくかね」

「間もなくもなにも、すぐあとでさ。まるで旦那《だんな》の顔色をうかがってとび出したという恰好でしたぜ」

と兼吉は言った。この間更科で会った男に、つながりをつけに行ったんなら、しめたものだ、と伊之助は思ったが、そのときはまだ半信半疑だった。そして、かりにその推測があたったとしても、由蔵が次に動き出すのは、もう少し先のことだろうと思っていたのである。

その由蔵が、今夜早速に動き出し、しかもどうやら本所元町の更科にむかう様子なのに、伊之助はひそかに胸をおどらせていた。

更科の方は手を打ってある。あれから十日近くたったが、あの顎《あご》がしゃくれた女中が、あのときの約束を忘れていなければ、今夜は由蔵とその相手を確かめてくれるだろう。それがわかれば、あとは……。

「………」

伊之助は眼を光らせた。間違いなかった。由蔵の姿は、辻番所《つじばんしょ》のあかりの下を通りぬけたあと、一たん御船蔵と中央寺の塀にはさまれた闇《やみ》に沈んだが、次にあたりの町のあかりに浮かび上がったあとは、裏店《うらだな》に入る道には見むきもせず、まっすぐ一ツ目橋の方に歩いて行く。もう、伊之助をふりむきもしなかった。

由蔵の姿が、更科の玄関に吸いこまれて行ったあと、伊之助は、この前のように、斜め前のしもた屋の塀わきにもぐりこんだ。

——ここまでは、うまくいった。

と伊之助は思った。

大工町裏町の賭場の中盆につながりをつけると、伊之助は、毎晩由蔵をつけ回した。〈あたけ〉の裏店の木戸まで行って、家を出てくる由蔵を待ち、出てくるとぴったりそのうしろについて歩く。賭場に行く由蔵を迎えに行くようなものだった。

由蔵は、たった一度たずねて行っただけの伊之助をよくおぼえていた。最初の二、三日は、ただ険悪な顔で何か用かねと言っただけだったが、四日目の夕方には、中央寺の裏に来たところで、伊之助をいきなり生垣の内側にひっぱりこみ、殴りかかって来た。

だが、伊之助は無言で腕を逆にねじ上げてやった。手加減しない力を加えたので、由蔵は男のくせに悲鳴をあげた。そしてすっかりおとなしくなってしまったのである。おとなしくなっただけでなく、伊之助をみると、おびえた顔になった。うしろ暗いところがある証拠とも見えた。由蔵は、疫病神《やくびょうがみ》をみるような、嫌悪《けんお》と恐れがいりまじった表情で伊之助を見る。そしてその表情には、伊之助が何者か、判じあぐねている様子がありありと見えた。

由蔵はひと晩賭場を休んだ。伊之助は、由蔵が盆の勝負に加わっている間も、そのむかい側に腰を落ちつけて、勝負を眺めている。それではおちおち遊んだ気にもならないはずだった。

だが由蔵は、次の晩にはまた家を出て、伊之助をふりむきふりむき賭場に行った。よくよく勝負ごとが好きな男だった。

だがゆうべは、とうとうがまんが切れて、更科で会った男に連絡をつけたのである。伊之助は、前に由蔵に会ったとき、おようを捜しているとはっきり口に出している。伊之助が何者であれ、おようにつながっている男だということは、由蔵にはわかっているはずだった。

その伊之助につきまとわれて、ある男に連絡をとったということは、見込んだとおり、由蔵もその男も、おようの行方知れずに一枚嚙《か》んでいると考えて、まず間違いなかろうと、伊之助は思った。ここまではうまくいった。

──さて、あとをどうするかだ。

軽くおどしてみてもいいな、と思った。出てきた由蔵をつかまえて、だれに会って来たと軽くゆさぶってみてもいい。どうせ言わないだろうが、こっちもそうのんびりはしていられない。

伊之助はくしゃみをした。夜気は冷え切っていた。これで風があったら、身体がこごえちまうところだ。そう思いながら鼻をすすったとき、玄関から人が出て、それが由蔵だった。この前と同じように早かった。

由蔵は道に出てくると、きょろきょろとあたりを見回した。その前に、伊之助は顔を出してやった。由蔵は顔をそむけて歩き出した。そのまま回向院《えこういん》の門前通りの方に歩いて行く。

五間ほど離れて、伊之助はそのあとからついて行った。由蔵は背をまるめて歩いて行く。うしろをふり向きもしないのは、どうせついてくるものと、あきらめ切っているらしかった。

──どこでつかまえるかな。

一ッ目橋を渡りながら、伊之助は思案した。橋をおりると右側に石置場がある。矢来が崩れて、その穴から夜鷹《よたか》が客をくわえて入りこんだりしているのを、伊之助は知っている。

――あそこに引っぱりこむか。

伊之助はそう思い、少し足をはやめた。そのとき、うしろから、何か危険なものが迫ってくるいやな気配がした。伊之助は思わず横にとんで、橋の欄干に身体を寄せた。伊之助の横を黒いものが走りすぎた。頬かむりをした男だった。男はそのまま橋を駆けおりると、前を歩いている由蔵にどんとぶつかった。橋番屋の明かりで、男がうしろから由蔵に、ふざけて抱きついたようにしたのが見えた。だがその直後に、心も凍るような悲鳴があがった。

はじかれたように、伊之助は走り出した。よろめいて倒れた由蔵に眼もくれず、男を追った。

おそろしく足のはやい男だった。男は一ッ目弁天の門前の角を左に曲がった。曲がるとき、ちらと伊之助の方を振りむいたようだった。伊之助はつづいて角を曲がったが、そこで顔をしかめた。

そこは色町で、時刻が早いせいもあり、まだ男たちがぞろぞろと歩いていた。むろんその道に入ったはずの頬かぶりの男は見えなかった。

伊之助はそれでも人をかきわけて、杉山屋敷のはずれまで走ったが、次の松井町一丁目との境にある道は、人影もなく暗く静まりかえっていた。通りをへだてて、そこにも松井町の岡場所がある。伊之助は舌打ちした。通りに走りこんだ男は、そういう地理を十分に心得ていたのだとわかった。

伊之助は、また釜吉、千丸屋と娼家《しょうか》がならんでいるあたりまで駆けもどった。

「手ぬぐいで頬かぶりした男を見かけなかったかね」

道を歩いている男たちをつかまえて聞いたが、男たちは気もそぞろといった顔つきで、木で鼻をくくったような返事をするばかりだった。そういう男を見たという者は、だれもいなかった。

伊之助は走って町を抜け、また橋ぎわにもどった。橋番屋に泊りこんでいるらしい年寄が、小屋の入口から行燈《あんどん》をかかげて、倒れている由蔵をこわごわと見ている。

「じいさん、あかりを持ってこっちに来てくれ」

伊之助はどなって、地面に膝《ひざ》をつくと、由蔵を抱きおこした。すばやく胸を開いて耳をあて、鼻の上に掌をかざした。胸の鼓動はかぼそくなっていたが、まだ息はあった。由蔵の身体はぐったりと重く、血のにおいがあたりに立ちこめている。

「おい、しっかりしろ」

じいさんがさし出した行燈の光で、由蔵の傷をしらべながら、伊之助は由蔵の耳に口をよせてどなった。傷は背中からのひと突きだった。たったひと突きだが、心の臓をつらぬいたと思われる傷だった。人を殺しなれた者の手口だった。

由蔵の顔には、死相があらわれている。眼がつりあがり、顔色は紙のように白くなっていた。橋番が声をかけて来た。

「お前さんの友だちかね」

「おい、由蔵」

伊之助は、年寄には答えずに、由蔵に呼びかけると、手荒く頰を打った。

「やったのはだれだ？　おい、だれにやられた？」

由蔵の眼が細く開き、黒眼がちらと動いた。伊之助は、また二、三度由蔵の頰を張った。

「だれだ？　言え」

由蔵の顔が、かすかに左右にうごいた。

「知らねえ？　知らねえ男なんだな」

由蔵が小さく顎をひいた。うなずいたのである。

「よし。じゃだれと会ってきた。さっき会った男はだれだ？」

由蔵の黒眼が、じっと伊之助を見つめている。

「更科で、お前が会った男だ。そいつはだれだ？　え？」

由蔵の首が、またかすかに左右に動いた。そして口をつき出してなにか言おうとした。口をまるくすぼめたが、声が出なかった。由蔵はすぼめた口から、何か声を出そうとあせっていた。首を前につき出すようにした。

「え？　え？」

伊之助は由蔵の口に耳を押しつけて、声を聞き取ろうとしたが、かすかな息が耳に触れただけだった。不意に由蔵は、はげしく手足をふるわせた。そして由蔵の黒眼は、くるりと上につり上がって動かなくなった。

「やれ、かわいそうに」

伊之助が死体をそっと地面に横たえると、じいさんがそう言い、なんまんだぶと手を合わせた。

「けんかかね」

「うむ。まあ、そうだ」

立ちあがりながら、伊之助はもの憂《う》く答えた。深い落胆に襲われていた。かりに更科の男をつきとめても、つきあわせる由蔵がいなければどうにもならない。おようにつながる一番大事な手がかりが失われたようだった。これまでの苦労が水の泡《あわ》になっていた。疲れた、と伊之助は思った。

そう思ったとき伊之助は、不意に闇のむこうから呼びかけてくる女の声を聞いたような気がした。はるかな闇から呼びかけるかすかな声は、助けを呼んでいるおようの声だった。

伊之助はしばらく、身じろぎもせず立っていた。それから、じいさんにすぐもどってくると言いおくと、竪川《たてかわ》の河岸にある自身番にむかって歩き出した。

ながれ星

一

南町奉行所の定町回り同心半沢清次郎は、岡っ引の浅吉と一緒に、高麗屋の奥に通された。

幕府の御用も請負う材木屋である高麗屋の奥はひろい。そして高麗屋は、現物を扱う古い店をもうひとつ木場《きば》に持っていて、こちらは帳簿取引きだけなので、建物はひっそりしていた。

廊下を三つほど曲がって、二人は小ぎれいな部屋に通された。

「ただいま主人がまいりますので、しばらく、お待ちくださいまし」

そう言って、二人を案内した店の者が去ると、入れちがいに女中がお茶を運んできた。二十前後の、目立つほどきれいな顔をした女だったが、こちらは無言のまま、二人にお茶をすすめると、部屋を出て行った。

そして、そのあとは、奥はひっそりとしてしまった。

「高麗屋がここに店を持って、どのぐらいになるかな。十年ぐらいか」

半沢が言うと、浅吉は茶碗《ちゃわん》にのばした手をひっこめて半沢を見た。

「いえ、まだそんなにならねえでしょう。七、八年ぐらいですかな」

「しかし、中へへえったのははじめてだが、豪勢なもんじゃねえか」

「よっぽど悪いことでもしなきゃ、こんなお城みてえな家は建ちませんぜ」

浅吉は悪口を言った。浅吉は清住町で小さな茶漬屋をやっている。若いころ岡っ引の弥八の手先を勤め、一時はその仕事から遠ざかったが、弥八のあとをついだ伊之助がやめたあと、半沢に言われて岡っ引をひきうけた。その間浅吉の茶漬屋は、大きくも小さくもならず、十年一日のような商売をしている。

半沢は苦笑した。

「なにか、そんな噂《うわさ》でもあるのかね」

「いえ」

浅吉は頭をかいた。

「あっしのカンでさ。店を二つも持って、がっぽ、がっぽもうけているやつに、ろくな人間はなかろうと」

相かわらず粗雑な頭だ、と半沢は思った。この程度の頭だから、弥八は長年下っ引を勤めた浅吉を措《お》いて、浅吉より若い伊之助に後を譲ったのだということを、半沢は知っている。

「お待たせいたしました」

浅吉に悪口を言われた高麗屋の主人次兵衛が、もみ手をしながら部屋に入ってきた。女が一緒だった。

「高麗屋でございます。これは女房のおうので」

次兵衛は、斜めうしろにひっそりと坐《すわ》った女を、そう言って愛想《あいそ》よくひきあわせた。

奉行所の半沢だと名乗りながら、半沢は少しど胆《ぎも》を抜かれたような気持になっていた。おうのという女房が、なみなみでない美しい女だったこともあるが、初対面の次兵衛が、思ったよりもずっと若い男だったからである。

店を二つも持ち、幕府の御用も勤める材木屋ということから、半沢は高麗屋次兵衛という男を、これまでずっと、脂《あぶら》ぎったやり手の商人というふうに考えていたのだが、まるで違った。

眼の前に坐っているのは、半沢よりせいぜい二つ三つ上、半沢が三十四だから、三十半ばを少し越えたかと思うほどの男だった。すっきりと引きしまった顔立ちで、しかも人をそらさないやわらかな微笑をうかべているところは、なかなかの好男子である。

女房も、まだ三十になっていまいと思われる年ごろに思えた。

半沢は材木屋というよりは、呉服屋の若夫婦にでも会っているような気がした。

だが、半沢は一瞬の驚きから、すぐに醒《さ》めた。

「さっそくだが、少したずねてよいかの？」

「どうぞ、どうぞ」

高麗屋は、ゆったりと微笑している。

「泥棒が入ったのは、一昨日の夜だと申したの？」

「さようでございます」

「届け出るのが、少しおそかったな」

「それが、でございます」

高麗屋は、うしろを振りむいて、女房とうなずき合った。

「取られた金が少のうございましてな。大さわぎするほどのことはないのではないかと、ちょっと迷ったものでございますから」

「少ないというと、どのぐらいかの」

「三十両ほどです」

「少なかねえや」

　と、半沢は言った。眼の前の好男子の商人に、わずかばかり反感が動いたようだった。三十両といえば大金ではないかと思ったのである。

　すると高麗屋は、まるで半沢のその気持を読み取ったように、恐縮して見せた。

「ごもっともです。迷ったのはあたしの心得違《こころえちが》いで、はじめからお届けすべきでございましたな」

「迷ったのは、盗っとが中の人間かも知れねえとうたぐったんじゃねえのかい？」

「とんでもございません」

　高麗屋は、きっと表情をひきしめた。

「外から来た泥棒だということは、ちゃんと証拠がございます。番頭にご案内させますが、入ったあとは残してございます」

「そいつは上出来だ。あとで見せてもらおう。ところで」

　半沢は夫婦をじっと見た。

「あんた、さっき盗《と》られた金は少ないと言ったが、なるほど高麗屋の身代《しんだい》から言えば、三十両は多くねえかも知れねえな」

「…………」

「この店に置いてある金は、そんなもんじゃねえだろ？」

「はい」

「それが、どうして三十両かな。泥棒が遠慮したか」

「いえ」

高麗屋の顔に、また微笑がもどってきた。

「商いの金は、塗りごめに作った場所に納めましてな。ちょっとやそっとでは盗み出せない仕掛けをしてございます。中の金をとるには、正面のとびらを開けなければなりませんが、ここは鍵《かぎ》が二重になっております。ま、腕のいい泥棒でも、この鍵をあけるには半日かかりましょう」

「………」

「そのことを知っているのかどうか、泥棒もそっちにさわった様子がございません。荒らされたのは、あたしども夫婦の居間で、そこに置いてた金を、根こそぎ持っていかれました」

「誰も気づかなかったのだな？」

「はい」

「と言うと、みんなが寝てから忍びこんだかな」

らうが」
「そうとしか考えられません。寝る前は、誰かが居間におりましたから」
「その居間とだな、あんた方の寝間はよほど離れてるのかな。あとでざっと見せても
らうが」
「それがです」
高麗屋は低い声で笑った。
「居間のそばが寝部屋になっておりまして、あたしどもは何も知らずにそこにやすん
でおりました。いや、驚きましたな。襖《ふすま》ひとつむこうに泥棒が来ているとは気づきま
せんでした。気づいたのは、朝になってからでございますよ」
「…………」
「これが、おびえましてな」
高麗屋が女房を振りむいた。するとおうのという女房が、顔をあげて亭主を見、半
沢を見た。
おうのはすぐに顔を伏せたが、話を聞いているうちに、その夜のことを思い出した
らしく、顔色を白くしていた。ほっそりした身体をし、そういうおびえた表情までが
美しい女だった。
「正直のことを申しますと、お金よりはコソリとも音立てずに三十両持って行った泥

棒がおそろしゅうございましてな。それでおとどけしたわけです」

「…………」

「あれでございますか、半沢さま」

高麗屋は声をひそめた。

「ながれ星とかいう泥棒でしょうか」

「さあ、そいつは調べてみないとわからんな」

そう言って半沢は膝《ひざ》を起こし、では番頭さんに、泥棒が忍びこんだあとを見せてもらおうか、と言った。

半刻《はんとき》ほどして、半沢と浅吉は高麗屋を出た。

「どうですか、旦那」

と浅吉が言った。浅吉は間もなく四十になる男だが、顔に興奮が残っている。

「やっぱりあいつですかい」

「間違いねえな」

と半沢は言った。ゆううつな顔になっていた。

入るのも引き揚げるのも、おそろしく手ぎわのいい盗っとが、深川一帯に出没しはじめたのは、半年ほど前からである。忍びこむ手口は決まっていた。雨戸をこじあけて中に入り、ひと仕事済ますと、またその雨戸をきっちりはめて姿を消す。

そのために、入られた家では、朝になって雨戸をあけてはじめて、そこに土足のあとを発見し仰天するということが多かった。ほとんどの家で、忍びこまれたときに気づいていなかった。

だが闇《やみ》にまぎれて動きまわるその盗賊も、まったく人に見つからなかったわけではない。二度見つかって逃げている。だが、見つけて庭まで追いかけた者も、わずかに塀《へい》をこえる黒い影をちらと見たにとどまった。

これまで狙《ねら》われたのは、裕福な商家と旗本屋敷だけで、寺院とか、また深川に多い大名の下屋敷《しもやしき》といったところは襲われていない。

賊は一人だった。足あとでもそれははっきりしていた。自在に塀を乗りこえて逃げる身軽さから、むろん男だろうと思われている。これまでのところ、侵入した先で人を傷つけたりはしていない。わかっているのは、それぐらいのものだった。

深夜に音もなく人の家を襲い、ほとんど気づかれることもなく金をかすめ取って姿を消す怪盗を、誰が言いはじめたのか、ながれ星などと呼ぶ。

むろん奉行所では、この怪盗をつかまえるのに必死になっていた。深川の定町回りは、半沢清次郎と石塚宗平の二人で、それぞれ配下の岡っ引、手先を休みなく動かして探索をつづけている。奉行所ではほかに臨時見回りの同心を三人、半沢と石塚の受け持ち場所に投入していた。

だが、手がかりはまったくつかめなかった。盗っと気のある前科者、やくざ者をたんねんに洗い、町々にも手を回して、怪しいそぶりの者をすくい揚げるために手をつくしていたが、まだ網にかかった者はいない。

「しゃくにさわる野郎ですな」

と、浅吉が言った。

「しっぽも残さねえてえのが、気にいらねえや」

「いや、そのうちしっぽを出すさ。盗っとをつづけているうちにな」

半沢はそう言った。また支配与力の益田《ますだ》甚左《じんざ》エ《え》門《もん》にあぶらをしぼられるだろうと思うとゆううつだったが、半沢は一方でそのうちつかまえてやるさ、と思っていた。

泥棒の弱みは、つかまるまでやめられないということだった。うまくいけばいくほど泥棒稼業《かぎよう》の深みにはまって行く。そして長い間には、かならずなにかの手がかりを残すのである。

定町回りという辛抱だけでつとめるような仕事に、長年たずさわっている間に、半沢にはそういう機会を気長に待ちうける、習性のようなものが身についていた。

——だがそれにしても……。

と半沢は、高麗屋を出てからずっと気になっていたことを、また心の中で反芻《はんすう》した。

高麗屋は、泥棒に入られたことを、なぜすぐにとどけ出なかったのか。

二

「とどけが遅いとは思わねえかい」

「え？」

「高麗屋のことだ」

「さいでござんすな」

浅吉は首をひねった。

「たいした金をとられたわけじゃねえ、などと言いわけしていたが、ちょっと妙な気がしねえか」

「…………」

「十両とられたからとどける、五両だから、ま、やめとこうと言うもんじゃなかろ？泥棒にはいられたというだけで、大がいの家ならあわててとどけ出るぜ。よしんばあとで調べて、何もとられていなかったとしてもだ」

「なるほど。言われてみますと妙ですな」

「迷ったなどと言ってやがった」

半沢は小さく舌打ちした。

「とどけるのをやめようかと思ったということだ。こいつはなぜかな？」

「おかしゅうがすな、旦那《だんな》」

浅吉は、額の下にひっこんでいる眼を光らせた。

「少うし、あたってみますかね」

「うむ」

歩きながら半沢は腕を組んだ。調べても何も出て来ないかも知れなかった。高麗屋のような大きな店では、実際に三十両など、はした金だと思っているかも知れないし、それぐらいの金のことで、奉行所の人間に調べられたりするのをいやがったとも考えられる。

それに高麗屋をこれ以上調べたところで、ながれ星という盗っとに直接つながるようなものが出て来るわけでもなかろう。そう思いながらも、半沢は浅吉に言った。

「店の者をつかまえて、少し聞いてみな。なにかあるかも知れねえ」

半沢にそう言わせたのは、父親のあとをついで十年以上も定町回りを勤めてきて、その間にやしなわれたカンのようなものだった。高麗屋の態度には、一点ぴったり来ないものが残る。大したことでないかも知れないが、さぐらせてみるのも無駄ではなかろう。

かしこまりました、と浅吉が言った。それで半沢は、高麗屋のことは浅吉にまかせる気になった。どうせそっちは、いまやっている仕事の本筋《ほんすじ》ではない。

半沢は軽い気分で言った。

「しかし高麗屋のおかみはべっぴんだな」

「へえ。あのあたりじゃ評判のおひとでさ」

「女の齢《とし》ってやつはわからねえが、いくつぐらいかね」

「さあて、小《こ》三十にはなっているはずですぜ」

「あれで？　おれには二十半ばと見えたな」

半沢は苦笑して言った。妻の俊江《としえ》のことを思い出したのである。嫁に来たときは、愛くるしい娘だと思った妻も、子供を二人生んで三十になったいまは、すっかり所帯じみてしまった。薄給の暮らしに不平も言わず、やりくり上手なのが取り得と思うだけで、半沢は近ごろ妻に女の魅力を感じることはない。

女も三十になればそんなものかと思っていたが、高麗屋の女房をみると、そうでもないらしい、と思った。おうのという女には、男の胸を一瞬とどろかせるような、あやしい美しさがあったような気がする。ほっそりした身体《からだ》つきなのに、肩も坐《すわ》った膝《ひざ》も、やわらかく丸く男の眼をひきつけた。

半沢は頭を振ってつぶやいた。

「やっぱり金かね」

「そりゃそうでさ」

わかっているのかどうか、浅吉が相づちを打った。

永代橋の近くで浅吉と別れると、半沢はまっすぐ奉行所にもどった。あたりは薄暗くなっていた。

回り方の同心詰所《つめしょ》をのぞいたが、石塚の姿は見えず、佐久間と末次という同僚が、行燈《あんどん》の灯の下で碁を打っているだけだった。

「石塚はもどったかね」

半沢が声をかけると、末次が碁盤をにらんだまま、まだだと言った。言ってから、やっと半沢だと気づいたらしく、つまんでいた石を碁笥《ごけ》にもどして振りむいた。

「石塚は、まだもどって来てないな」

「そうか」

「どうだね。ちったあ、目ぼしがついたか」

末次が言うと、それまでなめるように碁盤に顔をくっつけていた佐久間も、背をのばして半沢を見た。二人とも定町回りだが、回る場所は市中で、今度の泥棒さわぎにはかかわりがない。

「いや、どうしてどうして」

半沢がにが笑いして言うと、二人も薄笑いした。

「ま、あせることはあるまい。いずれしっぽを出す野郎だ」

「そう思っているが、いまのところは手がかりなしだ。お手あげだ」

「どうだ？　一番やらんか」

「いや、そうもしておられん。こんなときに碁に負けたら、よけいに頭に血がのぼる」

「それもそうだな」

「ま、それは冗談だが、支配役に顔を出さにゃならん」

「たぶん、お待ちかねだぜ」

五つほど年長の佐久間がそう言い、三人は低い声で笑った。顔が黒く、かまきりのようにやせていて、大きな声を出す支配役与力の益田を思いうかべた笑いだった。

予想したとおり益田に油をしぼられて、半沢は六ツ半（午後七時）ごろ、八丁堀の家にもどった。奉行所にいる間に、石塚がもどって来たが、目ぼしい手がかりはやはりつかめず、入れちがいに益田にしぼられに行ったのを見とどけてもどったのである。飯を喰ったあと、半沢はすぐに夜具を敷かせて横になった。身体をのばすと、節ぶしが鳴った。むかしはこういうとき、妻の俊江が、そのころはまだ存命だった姑《しゅうとめ》に気がねしながら、そっと足腰をもんでくれたものだが、近ごろはそういうこともない。子供を相手にしゃべっている妻の低い声が、隣の部屋から洩《も》れてくるだけだった。

子供は上が八つで男、下が五つの女児である。男の子は、やがておれの仕事をつぐことになろう。さいわいに身体は丈夫だが、いそがしくて妻にまかせきりだから、柔弱にならないよう、気をつけないといけない。

半沢はぼんやりとそんなことを考えた。疲れているのに、ねむ気はやって来なかった。考えが、家の者の上にとどまったのは、わずかの間で、半沢の意識は、またすぐにながれ星という泥棒の一件にもどって行った。

にがい顔をして尻《しり》を叩《たた》いた、益田の顔が眼にうかんでくる。

「貴様の親父《おやじ》なら、泥棒の一人や二人は、三日でつかまえたものだ」

と益田はわめいたが、そういう十把《じっぱ》ひとからげのコソ泥と、ながれ星という盗っとを、一緒には出来ないだろうと、半沢はひそかに思う。ながれ星は、定町回りを拝命して以来、はじめてぶつかった、稀代《きたい》の怪盗という手ごたえをつたえた相手だった。人にはもらさないが、半沢は影もつかめないその怪盗に、はげしい闘争心をそそられていた。石塚や、老練な臨時回りも首をつっこんでいるが、半沢は深川の泥棒は、おれの手でつかまえてやる、と思っていた。石塚も深川の一部を回っているが、本来は本所《ほんじょ》が受け持ちで、深川はかけ持ち区域にすぎない。

——それにしても……。

これほど洗い立てても、不審な者がうかび上がって来ないのはどういうわけだ、と半沢は部屋の闇《やみ》をにらんで思った。

少なくとも、これまでのところ、盗んだ金で遊んだり喰ったりしている形跡の人間は、うかび上がっていなかった。

半沢はひところ、盗っとは外から来る人間でないかと疑ったことがある。たとえば、神田とか浅草とかに住む人間が、深川でひと仕事し、終わるとさっさと自分の家に帰って寝る。そう考えてみたのだ。

だが調べがすすむにつれて、その疑いは薄れた。そうではないと思わせたのは、その盗っとが、いかにも深川の町の地理を心得ていることだった。普通のひとなら気づかないような裏路地をつたって来て、そこから塀を乗りこえたりしている。

二度ほど人が追いかけたが、すぐに見失ってしまったのも、ながれ星の、土地に対する知識の明るさを示しているように思われた。昼ならともかく、夜の暗いときに土地の者に追われて、影ものこさず逃げるというのは、一度や二度下見をしたぐらいで出来ることではない、と半沢は思う。

もうひとつは、泥棒仕事の時刻だった。これまでの調べで、ながれ星が忍びこむのは、おおよそ四ツ（午後十時）前後、人の寝入りばなとわかっている。泥棒仕事を終われば、四ツをかなり回るだろう。短くて四半刻《しはんとき》（現在の三十分）、長ければ半刻（一時間）以上の仕事だ。かりに半刻かかれば、終わって町に出るのは四ツ半（午後十一時）ということになる。

その時刻には町木戸が閉まっている。町木戸の改めも、むかしのような厳重なことはのぞめなくなったが、それでもながれ星の一件がはじまってから、奉行所ではひそかに町役人に通知を回して、木戸の番をそれとなく厳しくしている。

外から入ってくる者なら、どこかに不審な人間がひっかかるはずだった。それがひとつもそれらしいとどけがないということは、町役人や木戸番が怠けているのでなければ、泥棒が土地に住む者だという疑いが強いのである。土地の者なら、時刻がすぎても、ひとつや二つ木戸の潜《くぐ》り戸を抜けるのは、わけもない。

だがわかっているのは、いまのところはその程度のことにすぎない。

——どこにもぐっていやがるか。

半沢はあくびをした。急に、地にひきこまれるように眠くなっていた。半沢のもうろうとした頭に今日会った高麗屋の姿がうかんだ。次に高麗屋の女房の顔がぼんやりとうかび、その顔はおそってきた眠りのなかに溶けた。

ゆり起こされて目ざめたとき、半沢はずいぶん眠ったような気がしたが、妻の俊江がまだ帯もといていないところをみると、眠りに落ちてから、いくらも時は経っていないらしかった。

半沢は不機嫌な声を出した。

「なんだ?」

「お客さまですよ」

と俊江は半沢の不機嫌な声を、客にはばかるような、小声で言った。

「客?」

「町の方で、番屋から来たと申されています」

番屋というのは、自身番のことである。半沢は夜具をはねのけて起きた。一ぺんに眼がさめていた。

「野郎、ひっかかりやがったかな」

「え？」

「いや、こっちの話だ」

手早く身支度をととのえ腰の物を帯にぶちこみ、十手《じって》を前帯にはさみながら玄関に出た。

すると、板の間に腰かけていた四十年配の男が、あわてて立って頭をさげた。見おぼえのない顔だったが半沢は勢いこんで言った。

「ながれ星がひっかかったかい？」

「え？」

男は怪訝《けげん》な顔をしている。その表情を見て、半沢は自分の思い違いをさとった。

「お前さん、どこの町のひとかね」

「はい。弁天前の番屋で、書役《かきやく》をしております善六と申す者です。夜分おそくうかがいまして恐れいりますです」

「弁天前？」

半沢は眉《まゆ》をひそめた。弁天前は本所一ツ目で石塚の受け持ちである。

「で、何の用だね」

「はい。人が殺されました」

三

「人殺し？　誰がやられたんだね」

「あたけの儀平店《だな》に住む由蔵《よしぞう》という男です」

「由蔵？」

聞いたことがある名前だった。

「日雇いということになっておりますが、内実はその、よからぬ手なぐさみで日を暮らしている男だそうでございます」

「ああ、あの男か」

その由蔵なら、半沢は知っていた。回り先の海辺大工町裏町にある無住寺に集まる、ごろつきの一人だ。

堅気の旦那衆《だんなしゅう》をひっぱりこんで目にあまる、というようなことでもないかぎり、半沢はめったに賭場《とば》の手入れはしない。賭《か》けごとを黙認しているわけではなかったが、よからぬ連中がひとところに集まっているというのは、取締る側からみると便利でもあったのだ。

今度のながれ星の一件でも、一応その賭場の常連に名を連ねている連中の身辺は、すばやく洗い上げている。由蔵も常連の一人だが、よく金がつづくという不審は残ったものの、泥棒さわぎにはかかわりなかった。さわぎがあったどの夜も、由蔵が賭場をはなれなかったことは確かめられている。

博奕《ばくち》に心の底までむしばまれた、ちんぴらやくざに過ぎなかった。その男が何で殺されたか、と半沢はちらと思ったが、興味はすぐにさめた。

「しかしおれんとこに来たのはお門違いだな。お前さん、あのあたりは石塚の受け持ちだぜ」

「はい」

「石塚の家なら、このならびで五軒目だぜ」

「はい、それが……」

男はふんぎり悪く言葉をにごした。

「どうしたい？」

「伊之助という男を、ご存じでございますか？」

「伊之助てえと、彫師の？」

「はい。そう言っておりました」

「その男なら知っているが、伊之がどうかしたかね」

「旦那にお会いしたいと申しますもので」

「伊之がかい？　話がさっぱりわからねえな」

「じつは由蔵が殺されたととどけて来たのは、その男ですが、一ツ目の橋番のじいさんの話だと、由蔵が殺されたとき、本人が一緒だったということなものですから」

男はようやく、こういう事件も扱ったことがある番屋勤めの人間の顔になって、半沢を見た。男の眼に疑惑のいろが浮かんでいる。

半沢は、ははあと言った。

「それで、伊之は番屋にとめられているわけか」

「さようでございます」

「それで、やつは何と言ってるんだね」

「一緒だったが、由蔵を殺したのはほかの男だと申しております。で、それ以上のことは、旦那に来てもらわないと話せないと」

「わかった。すぐに行こう」

と半沢は言った。伊之助が半沢の名前を出したのは、疑われて困っているのだろう。

その殺しには、裏があるかも知れない。

「しかし、石塚にひと言、ことわらんといかんな」

「それはもう、さきほどことわって参りました」

「はやいな。石塚、何と言った？」

「こちらさまにまかせる、と申されました」

半沢は苦笑した。石塚はそれで、のうのうとあたたかい夜具の中にもどったわけだと思った。半沢は妻の俊江に、出かけてくると言った。

外は寒かった。半沢は俊江が着せかけた綿入れ半纏《はんてん》をはおり、襟巻《えりまき》にあごをうずめたが、それでも寒さは肌に突きささって来た。

「めっぽう、寒いな」

「はい。寒うございます」

二人は短い会話をかわしただけで、あとは無言で路《みち》をいそいだ。

永代橋を渡って佐賀町を北に抜け、河岸の道に出るまで、ほとんど人に出合わなかった。

河岸も暗く、大川をのぼる舟が二つ、さむざむと灯を光らせて遠ざかるのが見えるだけだった。

弁天前の番屋は、竪川《たてかわ》の河岸にあって間口二間。弁天門前と、弁天社をはさむ東どなりの杉山屋敷と、両町の自身番を兼ねている。

二人が土間に入ると、中にいた五、六人の人間が、立ち上がっていっせいに二人を振りむいた。その中に伊之助と若い女がいるのを半沢は見た。死体は戸板の上に菰《こも》で包まれ、土間の隅に横たわっていた。

「お寒いところを、ごくろうさまです」

骨と皮にやせた白髪まじりの男が、半沢を迎えてそう言い、当番家主の吉左エ門という者だと名乗った。

「これが由蔵の女房で、おちかと申します。またこちらは由蔵が住む店を預っている家主で」

吉左エ門は、おちかと、つきそっている男を引きあわせ、最後に伊之助に顔をむけた。

「このひとが、旦那さまをおよびしてくれと申しますのですが、ご存じのひとでございますか」

伊之助は半沢を見つめて、軽く頭をさげた。半沢はうなずいて、吉左エ門という家主に知っていると言った。それで家主の顔にほっとした表情がうかんだ。

「どれ、ではほとけさんを拝見するかな」

半沢は土間にしゃがむと、菰を十手ではね上げた。すると、伊之助が寄って来て、無造作に死体を裏返しにした。着物の背が切り裂かれ、そこから傷口がのぞいている。

「ほう、これか。ひと突きか」

「袖《そで》をぬがせますか」

と伊之助が言った。

「いや、よかろう。ほとけさんも、裸にされちゃ寒いだろうからな」

半沢は着物の裂けめをひろげ、そこから手をさし入れて肋骨《ろっこつ》をさぐった。

「なんと、心の臓をひと突きだぜ」

「やっぱり、そうですか」

「手馴《てな》れた仕事だ」

半沢はしゃがみこんだまま、伊之助の眼をじっと見た。

「お前さんじゃねえやな。この仕事ぶりは」

「とんでもございません」

「よし」

半沢は立ち上がると、番屋の雇人がさし出した小だらいの湯で手を洗った。伊之助が、また死体を仰向《あおむ》けにし、菰で包んだ。

「傷は改めたから、ほとけさんを引き取っていいぜ。石塚には一応おれから話すゆえ、あとは明日、石塚が来てからのことにしてよろしい。ごくろうだった」

「このおひとは？」

当番家主の吉左エ門が、さっきとは違った、遠慮した顔で伊之助を眺めながら聞いた。

「この男はおれの知り合いでな。人を殺せるような男じゃない。心配いらん」

「さようですか」

「でもそのひと、一度由蔵をたずねて家に来たことがあるんですよ」

とおちかが言った。だがおちかはすぐに薄笑いをうかべて言い直した。

「ほんとの亭主じゃないんだから、どうでもいいことだけど」

「だが、伊之助じゃねえなあ」

半沢はおだやかにおちかに笑いかけた。

「この傷は、これで飯を喰ってるやつがやった痕《あと》でね。とうしろの手ぎわじゃねえのさ」

おちかはそれでなっとくしたらしく、あっさりうなずいた。番屋の雇人が死体を運び出し、おちかと家主がつきそって出て行くのを見送ってから、半沢と伊之助は番屋を出た。

「そばでも喰いてえが、店は閉まったか」

「裏に、夜泣きそばがいるかも知れませんが」

伊之助がそう言って、半沢を弁天門前裏の、色町に案内した。娼家《しょうか》の塀のはずれに、赤提灯《あかぢょうちん》をさげた夜泣きそば屋がとまっていて、その前を、まだ今夜の宿を決めかねているらしい男たちが二、三人、寒そうに肩をすぼめて歩いていた。

そばをすすりながら、半沢は言った。

「何を隠してるんだ、お前さん」

「…………」

「おれにも言えぬことかね」

「いえ、そうじゃございません。話します」

「そうだろうな。この冷える晩に本所くんだりまで呼び出してだ。あと帰っておやすみというのはひどいよ」

二人は低い声で笑った。気が合う上司と岡っ引だったむかしが、突然にもどって来たようだった。

「弥八とっつぁんに、娘がいたのをご存じでしたか」

「知ってるよ。おようとかいう名前だったな。弥八がえらくかわいがってたじゃないか」

「そのおようが、行方知れずなんでさ」

半沢は、伊之助の話を、時どきそばを喰う手をやすめて聞いた。

「今夜のことも、まさかほとけさんを追っかけてたとも言えませんしね。それで、せっぱつまって旦那のお名前を出したようなわけで。申しわけございませんでした」

「ま、それはいいさ」

「……………」

「で、その野郎のつらは見たのかね」

「それがすばしこいやつで。あっという間に逃げられました」

「だがお前さんのことだから、まだ手は残ってるんだろ？」

「ま、何とかやってみまさ」

「おれの方はまた、ながれ星とかいうバカがはしゃいでどうにもならねえ。うわさを聞いてるかね」

「へえ。深川が荒らされてるそうですな」

「こいつもまだ、しっぽもつかめねえありさまだ。組んでるのが浅吉だ、茂平だ。こいつは骨が折れるぜ」

半沢はめずらしく泣きごとを言った。伊之助は黙っていた。

「どうだね、手札《てふだ》を出そうか」

「へ？」

「いや、手札なしじゃ、仕事がやり辛《づれ》えのじゃねえのか。ひまのときは、こっちを少し手伝ってもらってもいいし」

「…………」

「いらねえか」

ふ、ふと半沢は笑った。

「お前さんのやってることが、岡っ引みてえだから、つい言ったが、お前さんいまは堅気の職人だったな。言ったことは忘れてくれ」

「申しわけございません」

「あやまることはねえよ」

半沢は丼《どんぶり》を返して、おやじいい味だったぞ、と言った。伊之助も丼を返した。半沢のおごりだった。

河岸まで出て、二人は別れた。

「ながれ星のことでな。何か聞きつけたことがあったら知らせてくれ」

半沢はそう言って、礼をくり返す伊之助に手を振り、闊達《かったつ》な足どりで、闇《やみ》の中に消えて行った。

伊之助はいま出て来た路を引き返した。そのまま、杉山屋敷のそばを松井町一丁目に抜け、山城橋を渡った。

心の中に、かすかに人恋しい気分があった。それは疲れから来ていた。疲れは手足ばかりでなく、心の底にも澱《よど》んでいた。もう寝たろう、と思いながら、伊之助の足はおまさの店にむかっている。前を通るだけでよかった。

不意に伊之助の足がとまった。おまさの店の内側に小さく灯がともったのを見たのである。すぐに戸があいて、黒い人影が外にすべり出た。しなやかに闇に消えたうしろ姿が、いつか見た若い職人だった。戸はすぐに内側から閉まり、やがて灯が消えた。

伊之助は、身動きもせず橋のたもとに立ちつくしたが、やがて歩き出すと、無表情に暗いおまさの店の前を通りすぎた。

離れの客

一

帰っても待つ者がいない家の中は、外よりももっと冷えびえとしている。

伊之助は行燈《あんどん》に灯を入れると、竈《かまど》に火を焚《た》いて、湯をわかした。そして湯がわくまで、その前にしゃがんであたたまった。

夜泣きそば一杯では、腹がおさまらなかった。伊之助は漬け物を出し、残り飯を湯《ゆ》漬《づ》けにして喰った。いつも飯が済んだあと、空になった釜《かま》や鍋《なべ》、椀《わん》を洗い、明日の朝の米をとぐのだが、今夜はそれをする気もおきなかった。

喰ったあとの物を流しに出し、まるめておいた夜具をのばすと、伊之助は行燈の灯を消して横になった。夜具も冷たかった。しめっぽい感触が、せっかくあたたまった身体のぬくもりを奪って行く。

伊之助は手足をちぢめ、背をまるめて、こみあげてくる胴ぶるいを我慢した。そして身体が夜具になじんだころ、ようやく手足をのばして、仰むけになった。

だが眠りはすぐにはやって来なかった。閉じた眼の裏を、由蔵《よしぞう》のむざんな死体が横ぎる。そして、由蔵を刺して、夜の町にまぎれこんで行った男の、黒い風のようだった後姿がうかんでくる。

「味なことをしやがるぜ」

伊之助は、不意に闇《やみ》の中に眼をひらき、闘志をそそられたようにつぶやいた。岡っ引のころのはげしい気分がもどって来たようだった。

今夜の由蔵殺しには、二人の人間がからんでいる。由蔵は眼をおとす前、会って来た人間については何か言おうとしたが、刺した人間が誰かという質問にはただ首を振っただけである。この二人は別べつの人間なのだ。

そのことは、これまでのいきさつからも確かめられる。同心の半沢清次郎は、由蔵を刺したのは、そういう仕事を請負って、飯を喰っている種類の男だろうと言ったが、そのことは伊之助も同感だった。伊之助は現場を見ている。男はひと刺しで、由蔵をあの世に送ったのだ。

そんなすごい男が、由蔵におどされて金を出していたはずはなかった。金主と殺した男は別だ。そして多分、一人は雇い主で、一人は雇われの人殺しという関係だろう。由蔵が殺されたのは、恐喝のせいではないだろう。それだったら人殺しを雇うほどの金主は、もっと早く由蔵のケリをつけたはずである。

おようの行方をさがしている男に、あとをつけられている、と言ったために、由蔵は殺されたと伊之助は推測している。由蔵を追いつめ、ここ数日の由蔵のそぶりを見て伊之助には、その確信があった。

由蔵は昨夜、そのことで話したいと連絡し、今夜あわただしく、いつもの更科《さらしな》で落ち合ったというふうに見えたのだ。

由蔵は、その男がいまもつけて来ている、と伊之助のことを話したかも知れない。その話を聞いたのは多分二人である。それはどんな連中だったのだろう。

一人は、後姿だけは見ている。だがもう一人は顔はむろん、肥《ふと》っているか瘦《や》せているかもわからない男だった。その正体不明の男が言ったかも知れない。心配することはない、その妙な男はこっちで始末する、と。

それで由蔵は納得して帰り、あとから物騒な人殺しも更科を出た、と伊之助は考えている。

だが、男は伊之助を襲わずに、まっすぐ由蔵を襲って刺したのである。由蔵の知っていることが、ほかに知られてはならないことだったからだろうか。

人殺しの雇い主は、伊之助を消しても、ほかにまだ由蔵につきまとっている者がいるかも知れない、と懸念《けねん》したのだろうか。あるいは、はじめに由蔵も疑ったように、伊之助を奉行所の人間と考えたのかも知れない。そのあたりがわからないから、伊之助には手を出さず、あっさりと由蔵の方を消してしまったというふうに見えた。

だが、伊之助がつけているのを承知で、眼の前で殺したのは、伊之助に対する威嚇《いかく》のつもりもあったかも知れない。よけいな首をつっこむと、お前もおようも、こうだと。

――やつらが、人を殺してまで隠したがっているものは何だ？

伊之助は、闇の中に眼をこらしてそう思った。それがただおようの行方だけではないことはもうわかっている。だが厄介なことに、おようの行方不明は、その隠しごとにかかわりがあるらしい。

伊之助は声をたてずにあくびをした。ようやく眠気が兆《きざ》して来たようだった。

明日、仕事場に行きがけに、更科に寄ってみよう。今度こそ由蔵と会ったやつがわかるかも知れない。わかっても、由蔵などという男は知らないとつっぱねられるのは眼に見えているが、そいつをしめ上げる手は、あとでゆっくりと考えればいいのだ。

そう思うと、気持が楽になった。不意に、こらえようもない眠気が襲って来た。眠りに落ちる一瞬前に、伊之助はおまさの店の中にともった、小さな灯を思い出したようだった。

翌日、伊之助は五ツ半（午前九時）過ぎになってから家を出た。そして更科に行った。まだ玄関の戸が閉まっていて、戸の前の乾いた土の上に吹き込んでくる風が枯葉を舞わせていた。

伊之助は軒先に立って、しばらく人が出てくるのを待った。半沢が、手札《てふだ》がなくては調べがやりにくいだろうと言ったのはこういうことである。

手札をもらい、十手《じって》をあずかれば、玄関に踏みこみ、店の主人を呼びつけて問いただすことも出来る。

だが、伊之助には、二度と岡っ引稼業《かぎょう》にもどりたくない気持があった。十手は、死んだ女房のおすみを思い出させる。

岡っ引をやめてくれない？　とおすみが言ったことがある。そう言ったときおすみは、自分の運命を試してみたのだと思う。夜も昼もないような岡っ引の暮らしをやめて、伊之助がそばにもどってくれたら、男と切れようと。だが伊之助はそのころ岡っ引として脂《あぶら》が乗ったというあんばいだったのだ。仕事が面白くて、家をかえりみるひまがなかった。おすみがなぜそう言ったかにも気づかなかった。バカ言え、と一笑した。

だが、それから間もなく、おすみは男と逃げたのである。しかしそれが間違いだったと気づいて、男に無理心中をしかける形で死んだ。

伊之助は空を見上げた。ねずみいろに汚れた雲がひろがっている。空気は冷えて、時おり思い出したように吹きすぎる風が、すっかり冬のものだった。

うしろで戸が開いた。伊之助はあわてて軒下を離れて振りむいた。使用人と思われる、店のはっぴを着て手に竹かごをさげた年寄が出て来て怪しむように伊之助を見た。

「どなたさまで？」

「あ、こちらの女中さんに、ちょっと用がありましてな。呼んでもらえませんか」

「誰だろ？」

伊之助が、前に会った女中の年恰好《かっこう》と顔を言うと、年寄はすぐにうなずいた。

「お滝さんらしいな。ちょっと待ってくださいよ」

年寄は気さくに玄関にもどって、そこからお滝さんいるかい、と呼んだ。やがて、引きずるような足音がして、女が出て来た気配がした。え？　誰だって？　お前さんのいいひとがたずねて来たよ、へっへ。朝っぱらから、からかうのはよしてよ、と二人が玄関で言っている。

伊之助は玄関に顔をつっこんだ。あら、また来たのと女が言い、年寄が外に出て行った。

「入って、そこ閉めてよ。寒いから」

と、しゃくれた顎《あご》を持つお滝が言った。伊之助は土間に入って、うしろ手に戸を閉めた。

「また何か用なの？」

「ゆうべ、あいつが来ただろう？」

「あいつって、由公《よしこう》とかいうひと？」

「そう」

「見かけなかったね」

とお滝は言った。伊之助は唖然《あぜん》とした。

「だって、あいつがここに入るのを見たぜ」

「いつごろのこと？」

「そうさな。五ツ半（午後九時）といった見当かな」

「それなら来てないね」

お滝はきっぱりと言った。ほら、そこと言って、お滝は玄関を上がってすぐの、左側にある小部屋を指さした。

「あたしら、そこにいて、お客さんを迎えるわけ。混《こ》むのは夕方だからね。その時分には、四、五人はそこに詰めて、お客さんをお部屋の方にご案内しているんだよ。だけど五ツ（午後八時）過ぎになると、もう来る人は少ないからね。お帰りを見送るだけだから、そのころは部屋の中は二人になっちまう」

「…………」

「ゆうべの五ツ半ごろは、その部屋におみよさんとあたしがいたんだ。誰も来なかったよ」

「部屋の前を通ったのに、気づかなかったんじゃないのかね」

「黙って入って？　でも夜はずっと障子を開けてるからね。それに、あそこが帳場で、そっちにも誰かはいるから、気づかれずに奥に入るなんて、出来っこないよ、あんた」

言われてみると、そのとおりに見えた。玄関から真直《まつすぐ》に上がると、左手がお滝の言う部屋、右側はひとつ置いて角が帳場で、廊下はそこで壁に突きあたり、左右にわかれる。

「おかしいな」

「おかしいのは、あんたの方じゃないのさ」

お滝はからかうような眼をした。

「三両を取りもどしたい一心で、誰かほかのひとを見間違えたんじゃないのかしら」

「…………」

「この前にあんたに言われてたからね。あたしもそれとなく見張ってたんだから。ゆうべ来ていればすぐに見つけてるよ」

お滝は、暗にこの前の口約束の駄賃をさいそくする口ぶりになった。

伊之助は財布を探って、小粒をひとつ出すとお滝ににぎらせ、更科を出た。

——どういうことだ？

と思った。お滝の様子から、嘘《うそ》をついているとは思えなかった。おみよとかいう女と二人でいて、お喋《しゃべ》りしていたとしても、あの部屋の前を通る人間を見のがすとは考えられなかった。

だが由蔵が玄関に入ったのは、確かに見とどけているのだ。更科の中にいたのはそう長くはない。だが玄関に入っただけで、何もせずに出てくるということもあるまい。

——こうか？

時刻はおよそ打ち合わせてある。その男は玄関まで出て、由蔵が来るのを待っているということはどうだろう。

だが、それならそれで、お滝たちも何か気づくはずだった。お滝は帰る客も送って出るのである。客の一人が玄関まで出て来たのに気づかないということはないだろう。かりに客が、帰るわけじゃない、人を待っている、とことわったとしても、その人が来たら、部屋から首ぐらい出してのぞくだろう。

――しかし、もう一度確かめた方がいいかな。

少しうんざりしながらそう思ったとき、伊之助の眼の奥をふっと横切ったものがあった。

伊之助は立ちどまった。そこは、二ツ目橋の手前だった。

玄関に何かあったのだ。それを見ながら、料理屋のつくりは、普通の家と違うもんだな、と思いながら、お滝と話していたのである。その何かが、いまはっきりと眼にうかんで来た。

それは小さな潜《くぐ》り戸だった。広い土間の壁の隅にあったのである。むろん閉まっていた。だがあの潜り戸は、どこに通じていたのだろうか。

伊之助は、勢いよく河岸の道を引き返した。

二

更科《さらしな》にもどると、伊之助はすぐ玄関まで踏みこんで、お滝を呼び出してもらった。お滝は水仕事をしていたらしかった。前掛けで手をふきながら出て来たが、伊之助を見ると眉《まゆ》をひそめた。あきらかに迷惑そうな顔つきだった。

「いそがしいところを、たびたびじゃまして悪いが」

伊之助はいそいで言った。

「さっきのつづきだがね。この戸を入ると、どこへ行くのかね」

伊之助は潜り戸を指さした。

「庭だよ」

「庭？　すると庭から家の中に入ることも出来るわけだ」

「あったかいころならね。でもこの節《せつ》は、夕方になると縁側の戸を閉めちまうからねえ。庭から入りこむってことは出来ないよ」

伊之助は首をかしげた。

「ちょっとのぞいていいかね」

「いいけど、早くしとくれな」

とお滝は言った。伊之助にいつまでもへばりつかれるのは迷惑だが、さっき金をもらった手前もあって、そうも言えないというふうに見えた。

伊之助は潜《くぐ》り戸を押して外に出た。身体《からだ》をかがめて通るような、小さな戸である。だが出たところは広い庭だった。

塀《へい》ぎわに一列に梅の木がならんでいて、奥の方に石や池、庭木をあしらった本式の庭があるのが見える。池のそばに小粋《こいき》な造りの離れ部屋があって、店と離れは、橋がかりにつくった廊下でつながっていた。潜り戸からその離れまで、飛び石が埋めこまれている。その飛び石が終わったところに、入口らしいものが見えた。離れ部屋には、外からも人が入れるようだった。外から入るというよりも、離れの客がそこから出て、庭を歩いたりするのだろう。

母屋《おもや》の方の雨戸は、いまは全部あけはなってあるが、縁側は地面からかなり高い。大人の腰の上まではありそうだった。あれじゃ戸が開いてても、気軽に外から出入りするというものじゃなさそうだ、と伊之助は思った。庭も離れも、人気なくしんとしている。

それだけの光景を頭に叩きこんでから、伊之助は潜り戸の内側にもどった。

「離れがあるな」

「ええ」

「離れを通って、家ん中に入るということは出来るわけだ」

「でもあの中には縁側がないからね。店の方へ行くんなら、部屋の中を通らなきゃ」

「ゆうべは、離れに客がいたのかね」

「いましたよ」

「その客が誰か、教えちゃもらえめえか」

と伊之助は言った。こわい眼になったはずである。伊之助の眼の奥に、暗い庭のなかを、飛び石を踏んで離れにむかう由蔵の姿がうかんでいる。更科の人間にも気づかれずに、中の客に会うには、場所はそこしかない。

お滝は眉をひそめた。迷惑を通りこして、困ったという顔になっている。お滝は、うしろをふりむいて、ちらと帳場のあたりをうかがってから、たたきに降りて下駄《げた》をつっかけた。そして玄関を出た。

伊之助もつづいて外に出た。お滝は路地から表の通りまで出て、そこで伊之助を振りむいた。

「あんた、いったい誰なのさ?」

お滝はなじるように言った。

「お上のご用筋《すじ》のひと?」

「まあ、そんなものだ」

伊之助は、お滝の誤解をそのままにした。その方がつごうがよさそうだった。

「困るねえ。お店のお客さんのことは、言いたかないんだよ」

「しかし、そうも言ってられめえぜ、お滝さん」

伊之助は切り札を出すことにした。ひと呼吸おいて声を落とした。

「由蔵が殺されたのだ。ゆうべここを出た帰りだ」

「………」

「嘘《うそ》だと思ったら、あとで一ツ目の橋の向うに行ってみな。あのへんじゃ、もう評判になってるはずだぜ」

お滝は顔色を白くした。そして首を振った。

「そんな、人殺しの話なんてあたしら知りませんよ」

「お前さんたちにかかわりがあるとは言ってねえよ」

伊之助は微笑した。

「だが、ゆうべ離れにいた客は、どうかね？　由蔵はゆうべ、そのお客さんに会ったかも知れねえのだ」

「………」

「やつがこの家に入って、また出て来たのを、おれはこの眼で見ている。ところが、玄関の近くにいたあんたは、そんな男は来なかったという。潜り戸から離れに行ったとしか考えられねえ」

「そりゃ理屈だけどさ。違うねえ」

「どうしてだい？」

「だってさ。ゆうべ離れにいたお客さんは、そんな博奕《ばくち》打ちを近づけるようなおひとじゃないよ」

「ふーん。しかし聞かなきゃわからねえな。なんというひとだね。そのお客さんは」

観念したように、お滝は言った。

「あたしが言ったなんてことは内緒だよ」

「ああ。誰にも言わねえさ」

「高麗屋のおかみさんですよ」

「高麗屋？　あの材木屋の？」

伊之助は高麗屋を知っていた。伊之助が岡っ引になったころから、めきめきと商売が大きくなった材木屋だ。伊之助が町を回りはじめたのは、ちょうど高麗屋が万年町の店の新築にかかったころだったし、そこのおかみが美人だという噂《うわさ》も耳にしたおぼえがある。

材木屋のおかみは、奥にひっこんで子供の世話をしているようじゃ勤まらないと聞いたことがある。材木屋は取引先の接待が多い。場所は自宅のときもあるし、料理屋の座敷を借り切ってもてなすときもある。

おかみはそういう接待で、先頭に立って女中を指図し、席を取りしきる。もてなしの準備をし、芸者を手配し、みやげ物に心を配る。そうして亭主の仕事を助けるのである。派手な存在だった。高麗屋のおかみが、更科の離れにいても、おかしいことはない。

伊之助の顔に、意気ごみをはずされたとまどいが浮かんだかも知れない。お滝は薄笑いして言った。

「あてがはずれたらしいね。親分さん」

「そうでもねえさ」

と伊之助は言った。

「おかみには連れがいただろう？　まさか一人じゃあるめえ」

「そこまで言わなきゃいけないのかい？」

お滝は笑いをひっこめて、きっとした顔をしたが、そこでまた、さっきもらった小粒のことを思い出したらしかった。あたりを見回してから、小声で言った。

「鶴之丞《つるのじょう》ですよ、お相手は」

「え？」

と、思わず伊之助はお滝の顔を見つめた。するとお滝は、片眼をつぶってみせた。

伊之助は口をつぐんだ。女たちが鶴之丞といえば、役者の片岡鶴之丞しかいない。若手の人気役者で、女形《おやま》である。伊之助は、舞台は見たことがないが、噂はしょっちゅう耳にしているし、錦絵《にしきえ》でもお目にかかっている。

お滝は、急にそこまでしゃべってしまったのを後悔した顔になり、すぐに背をむけそうにした。伊之助はあわててお滝の袖《そで》をつかんだ。

「二人っきりかい？　ほかに、もう一人男がいたんじゃないかね」

「ばかばかしい」

お滝は、つかまれた袖をじゃけんに取りもどしながら、嘲《あざ》ける口ぶりになった。

「せっかく忍んで会うというのに、なんでほかに男が来るのさ」

「そうか。そいつは確かなんだな？」

「確かも何も、案内したのはあたしなんだから。いい役者だねえ。きれいで、実《じつ》がありそうで」

お滝は役者のことを言い、あたし、もう行かなきゃと言った。

「もひとつ聞かせてくれ」

「まだあるの？」

「その二人だが、ちょいちょい来るのかね」

「しょっちゅうてわけじゃないよ。月に一、二度かしらね」

「来たときは、いつもあの離れを使うわけだな」

「そう」

「おいらがこの前、由蔵のことを聞きに寄った晩だが、あの晩はどうかね。二人は来てたかね」

「さあ、どうだったかしら」

お滝は責任のない言い方をした。声にも顔にも、思い出そうとする熱は見られなかった。

「忘れちゃったねえ。前のことだからねえ」

ありがとうよ、と伊之助は言った。これ以上この女に聞くことはないようだった。

お滝と別れて、伊之助は更科の前から元町を抜け、竪川《たてかわ》の河岸の道に出た。いつの間にか風がやんで日がさし、町は明るくなっていた。

冬の日が、動くとも見えない川水《かわみず》に映って、じっと水面にとどまっている。風がやんだので、朝よりはあたたかくなったようだった。

——女か。

前から来た人をかわしながら、伊之助はそう思った。お滝からそう聞いたときの軽い驚きを思い出していた。

離れの客が、腹の出っぱった大店《おおだな》の旦那《だんな》と殺し請負いの男といった組合わせでなく、材木屋の美人おかみと役者だったことに、意表をつかれたことは確かである。

だが、その驚きはもうおさまっていた。由蔵がたずねたのは、やはりその二人だと伊之助は思っている。それは、高麗屋のおかみにじかにあたるのがむつかしければ、役者の鶴之丞の方を調べればわかることだった。

だがこの二人と、由蔵がどうつながっているかは、わかっているとは言えない。

金をもらう中味は、恐喝だろうと考えていたことからすれば、そのつながりは簡単なようにもみえた。高麗屋のおかみは、どうやら役者と密会して浮気を楽しんでいたらしいから、それを嗅《か》ぎつけた由蔵がゆすったとみてもよい。話はそれでまとまりがつく。

だが、由蔵と離れの客とのつながりが、それだけのものでないということは、いままでの経過が示している。ゆうべ、由蔵は更科の離れに、いつものように金をもらいに来たのだろうか。

そうではない、と伊之助は思っている。由蔵は、どういう方法でか、急に連絡をとって、ゆうべ更科の二人に会う手はずをつけたのである。伊之助につきまとわれて、あわてたように見えた。その伊之助について、由蔵が知っていることといえば、おようの行方をたずねて来た男だということだけなのである。

「こいつは簡単なことじゃないぜ」

伊之助は二ツ目橋を林町の方に渡りながら、ひとりごとを言った。

浮気を知られてゆすられていただけのことではない。それは由蔵が殺されたことを考えても、そう言えるようだった。人を殺すほど知られてならない事件なら、もっと身分を隠すはずである。だが離れの客が高麗屋のおかみと、役者の片岡鶴之丞だということは、お滝のような女中も知っていたことである。

――それに、あの人殺しはどこから来たのだ？

ぶっちょう面《づら》をしているに違いない彫藤の仕事場にいそぎながら、伊之助はそう思った。あの手馴《てな》れた殺しと役者は結びつきそうもなかった。

三

彫藤の仕事場についたときは、もう昼近かった。

「朝寝坊かい。いい気なもんじゃねえか」

遅くなった詫《わ》びを言って、自分の彫り台に着いた伊之助に、彫藤は悪態を浴びせた。峰吉と圭太《けいた》が、ちらちらと彫藤を見た。しかし彫藤はさほど怒っているわけではなかった。いそがしい仕事が一段落したあとで、期限を切られていない摺物《すりもの》や経本《きょうほん》などを彫っているからだろう。

「こんなことじゃ、手間を引くしかねえぜ」

「仕方ありません。引いてもらいまさ」

「事情があるなら言ってみな」

彫藤は助け舟を出したが、伊之助は黙って鑿《のみ》と木槌《きづち》を出し、半分ほど彫りかけてある摺物の版木にむかった。

その様子を眺めていたらしい声音《こわね》で、彫藤が言った。

「おめえ、ここをやめるつもりかね」

「とんでもございません、親方」

伊之助は彫藤に顔を回した。

「そんなことは、考えてもいませんぜ」

「それなら、まちっとまともに勤めろい」

彫藤は説教したが、ふと思い出したという顔で、改めてまじまじと伊之助を見た。

「朝のうちに、石塚様という見回りの旦那《だんな》が来たぜ」

「へ？　何かおっしゃってましたか」

「帰りに弥勒寺《みろくじ》の番屋に寄れってよ」

「…………」

「おめえ、なんか悪いことをしたんじゃあるめえな」

と彫藤は言った。彫藤の顔には当惑したような表情がうかんでいる。

岡っ引をやめて彫藤に勤めたとき、伊之助は、最初に仕事を仕込まれた浅草の彫安から口をきいてもらっている。むろん岡っ引をしたことは内緒にしてもらった。

法の手先を勤める人間を、世間はあまり歓迎しない。法が、その内側に抱えている罰を、恐れはばかるのである。むろん世間は、話で片づかない揉《も》めごとがおきれば、法にすがって裁断してもらうのだが、一方で、法がときに人間を離れてひとり歩きし、むごい力をふるうこともあることを十分承知している。

法の末端にいて、世間と触れあう人間は、そういうことを心得ているべきだった。だが実際には同心に雇われる岡っ引、岡っ引に手間をもらう下っ引の中には、むしろ法の力をかさに、後光でもしょった気で、弱い者をいじめたり、裕福な商家から金をせびったりする者がいるのだ。

伊之助はそんなことをしなかったが、世間の見る眼は承知していた。だから岡っ引というもとの身分を隠したのである。版木彫りの腕は一人前に仕上がっていたし、鑿を持てば、仕事の感触はじきに戻って来たので、彫藤に怪しまれることはなかった。

だが彫藤の眼に、はじめて伊之助の過去をさぐるようないろが動いている。伊之助はひやりとした。

「まさか、冗談でしょ親方」

伊之助は苦笑してみせた。

「あっしが住む裏店《うらだな》で、こないだ何かごたごたがあって、お役人がのぞきに来たとか言ってましたよ。そんなことでお調べがあるんじゃねえですかい」

「そんなお調べで、お役人がここまでたずねて来るかい？」

「あっしは一人もんで、昼は家に誰もいませんからね。回りのついでに声をかけたんじゃありませんかね」

彫藤は釈然としない顔色だったが、それでも一応は納得したらしく、仕事にもどった。そのごたごたが何だったかとも聞かなかった。伊之助はほっとした。

その日の帰りに、伊之助は弥勒寺橋の橋ぎわにある自身番に寄った。森下町は町が大きいので、四ツ辻《つじ》のところで南北に町を区切り、南組と北組に分けている。橋ぎわの自身番は北組のものだった。

石塚宗平は、伊之助を待っていた。自身番の奥の畳部屋に上がり、一緒の中間《ちゅうげん》とお茶を飲んでいたが、伊之助を見ると、上がって来いと言った。

伊之助が畳に上がるのと同時に、四十年輩の中間が、それではお言葉に甘えてお先に、と言って帰って行った。

「今朝、半沢に会って話を聞いた」

石塚は早速に言った。石塚と半沢と齢《とし》はおっつかっつだが、血色よく肥《ふと》っている。着物の裾《すそ》で脛毛《すねげ》がすり切れるほど歩き回る仕事なのに、よくこんなに肥っていられると、伊之助は感心する。

むろん初対面ではない。岡っ引をしていたころ、伊之助は半沢について歩いて、石塚ともたびたび顔をあわせている。陽性で酒好きな男だった。奉行所に帰る前に、石塚から酒に誘われて、半沢が弱っているのを見たことがある。

石塚の客とみて、番屋の雇人が伊之助にも茶を運んできた。部屋の隅には泊りの家主と店番《たなばん》らしい二人がいて、行燈《あんどん》の光の下に帳面をひろげ、なにかひそひそと話している。もう昼番との交代が済んだらしく、人数はそれだけだった。

「ゆうべは、えらい目にあったらしいな」

石塚はにこにこ笑いながら言った。

「へえ」

「弥八に頼まれて、ほとけをつけ回していたんだって？」

「へえ、さいでございます」

「で、やったやつになにか心あたりがあるのかね」

「それがさっぱり、見当もつきませんので」

「そんなことはねえだろ？」

不意に石塚が言った。伊之助は顔をあげた。だが石塚はやはり笑っていた。

「いや、ついこないだまで、腕っこきの岡っ引で鳴らしたお前さんだ。何にもつかんでないというのは、おかしいじゃないかということさ」

「へえ。由蔵が誰かから金をゆすり取っていて、それがおようの行方知れずとかかわりがあるらしいと、そこまではわかりましたんで。そこでやつをつけて、その誰かを突きとめようとしているうちに、出し抜かれちまったわけで」

「ふーん。とんびに油揚げか」

石塚は腕組みをした。はじめて顔をしかめた。

「で、そのゆすられていた誰かさんが、由蔵を刺したと、考えているかね」

「いえ、そうじゃなくて、人を雇って刺させたとみてますがね」

「そうみる方が無難だな。じつを言うと、刺したやつにはおれの方で少々心あたりがあるのだ」

「へ？」

伊之助は思わず鋭い眼で石塚を見た。

「いや、素性はわかってねえよ。正体は屁《へ》みてえにとりとめのない野郎だ。だが殺しの手口だけを言えば、おなじみさんでな」

「………」

「半沢はゆうべ、ひと眼見てそうじゃねえかと思ったそうだが、今朝おれと話しているうちに、間違いねえということになった。じつを言うとな、ここ三年ほどの間に、本所、深川でゆうべのようなきれいな殺しが四つあった。うしろから心の臓をひと突きだぜ。場所は外、そして闇夜《やみよ》だ」

「………」

「一人は女だった。かわいそうに、由蔵が五人目というわけだな」

半沢はゆうべ、素人の手ぎわじゃないと言ったときに、大体その見当をつけていたのか、と伊之助は思った。

「刺したやつの顔は見てねえって言ったな」

「へえ、背中を拝んだだけで」

「惜しいことをしたもんだ。そいつはこれまで人に姿を見せたことがねえのだが、ゆうべはお前さんに見られたわけだ」

「………」

「ところでひとつ教えてくれねえか」

石塚は艶《つや》のいい顔に、また笑いをうかべた。

「由蔵がゆすっていた相手だが、お前さんそろそろ見当がついているんじゃねえのかい?」

「いえ、いえ」

伊之助はかぶりを振った。

「というのはだよ。死んだ場所がちょっと気にいらねえのだ。由蔵の住居はあたけの奥だ。そして昼は家にとぐろを巻いていて夜は賭場《とば》に出かける。その賭場というのは、半沢に聞くと大工町の裏町だそうだな。ずっと南だ」

「へえ」

「その由蔵が、賭場はおろかてめえの家よりも北の橋ぎわで死んでいる。一ツ目橋を渡って来たか、これから渡ろうかという場所じゃねえか。女を買いに行ったと考えても、ちっと方角がずれてる。由蔵は誰かに会って来たんじゃねえかい？」

「確かに、どっかに行こうとしてたようですが」

伊之助は、わきの下に汗をかくような思いで嘘《うそ》をついた。

「あそこまで行ったときに、うしろから刺されたんでござんすよ」

半沢にも、ひととおりのことは話したが、由蔵が料理屋の更科《さらしな》に行ったことは話していない。それを話して奉行所の聞きこみが入るようだと、相手は警戒し、おようまで始末してしまうかも知れない。更科の一件は言えなかった。

だが、ゆうべの半沢は代理で、死人改めと伊之助を助け出すのが役目だったから、事件についてはあっさりした態度だったが、さすがに受け持ちだけに、石塚の追究はきびしかった。答えながら、伊之助は手の中にじっとりと汗をかいた。

「ふむ」

石塚は不満そうに鼻を鳴らした。だがにこにこ顔のままで言った。

「気にいらねえ返事だな。三年前のお前さんを知ってなかったら、奉行所にしょっぴくところだ」

「………」

「由蔵というやつは、世の中の薬になるような男じゃねえことは確かだが、されぱと言ってそれほど毒になるほどの男でもなかった。博奕《ばくち》好きのただのちんぴらだ。そんな男でも、殺されたらそれでええわと言うもんじゃねえからな」

「それはわかっています。何かわかったら、かならずお知らせしますよ」

「そうしてくれ。おれはおれでべつの方角から人殺し野郎をさぐってみるがな」

石塚はそう言い、坐《すわ》ったまま両手をさしあげてあくびした。それで話は終わったということらしかった。

疲れた、疲れたと言い、石塚は突然にこぼれるような笑顔を伊之助に近づけて言った。

「どうだ？　寒さしのぎに一杯つき合わんか」

飲もうという石塚をふり切るようにして、伊之助はさきに北組の自身番を出た。隠しごとをしたまま、石塚の酒の相手をするのは、気がすすまなかったのである。

松井町二丁目の角に来たとき、伊之助はちらとおまさの店の方を見たが、立止らずに二ツ目橋の方に歩いた。

おまさの店から出て来た若い職人の姿が、まだ眼の奥に焼きついていて、胸の中に重苦しいような気分を残していたが、いまはそれどころでなかった。石塚が更科の離れの客を嗅《か》ぎつけたりしないうちに、やらなければならないことがあった。

伊之助は竪川《たてかわ》の河岸を一ツ目橋まで歩き、さらに東両国に出て、両国橋を西に渡った。鳥越《とりごえ》に住んでいると聞いた、片岡鶴之丞をたずねるつもりになっていた。

四

鶴之丞は、蔵前の大通りから西に入った元鳥越町に住んでいて、そこから堺《さかい》町の中村座に通っている。家は伽羅《きやら》屋をやっていて、甚内《じんない》橋のそばだから、行けばすぐにわかるという。

伊之助は、鶴之丞がどこに住んでいるかなどということはまったくわからず、中村座か、隣の葺《よし》屋町の市村座あたりに出かけて、誰かから聞き出すつもりだったのである。だが、仕事の合間に、なにげなくその話を出すと、峰吉がわけもなくそういうことを教えてくれた。

峰吉の家は夫婦そろって芝居好きで、たまに休みをもらった日は、欠かさず芝居見物に行くという話だった。ちょうど親方の彫藤が外に出たせいもあって、ふだん無口な男が、長ながと芝居のことをしゃべった。役者の消息にもけっこうくわしかった。

鳥越橋を北に渡って、森田町と蔵前片町の間を西に入りこむ。元鳥越町は、天文台の裏側の一角にあって、甚内橋を目ざして行くと、伽羅屋の店は間もなく見当がついた。

店はもうしまっていた。暗い中でも一見して小さな商い店のように見えたが、奥で三味線の音がしている。伊之助は戸を叩《たた》いた。

戸をあけたのは、四十過ぎの肥《ふと》った女だった。

「太夫《たゆう》はもうおもどりですか？」

伊之助はとりあえずそう言った。女は提げ行燈《あんどん》を少し持ちあげるようにして、しげしげと伊之助を見てから、どなた？　と言った。

「伊之助と申しますが、ちょっと太夫にお話がございますんで」

「小屋のおひとですか？」

「いや、違います」

「どちらか、ごひいきさんの方かしら？」

「へい。深川の高麗屋のかかわりあいの者ですが」

とっさに伊之助はそう言った。だが、女は首を振った。

「せっかくのおいでだけど、太夫は家じゃひとに会わないことにしておりますから」

「ちょっと待ってくださいよ」

伊之助は、女が閉めそうにした戸の間に、片足を割りこませた。

「高麗屋のおかみさんのことで、お話があって来たと、太夫にそう取りついでもらうとわかるんですがね」

女はもう一度伊之助の顔を眺めてから、取りついでも会わないと思いますよ、とつぶやいた。だが一応は話してみる気になったらしく、じゃそこで待っててくださいと言って、家の中に入って行った。

三味線の音がやんだ。そしてしばらくして出て来たさっきの女が、黙ったまま、伊之助を家の中にみちびき入れる身ぶりを示した。

狭い店の中を通りぬけ、行燈がおいてある茶の間に上がったが、その部屋には誰もいなかった。女は茶の間を通り抜けた。するとそこに廊下があって、鍵《かぎ》の手に曲がった廊下に沿って、もうひとつ棟《むね》があった。その棟の明るく灯がともっているひと部屋に、伊之助は招き入れられた。

部屋の中に、長火鉢を前にした鶴之丞がいた。面長《おもなが》で、少し眼尻《めじり》が吊《つ》りあがり気味の顔が、錦絵《にしきえ》の面影に似通っていた。女は伊之助を中に入れると、黙って障子を閉めて去った。

「高麗屋さんからおいでなすったんですって？」

鶴之丞は、自分でお茶をいれながら言った。女のように細い指だったが、この女形《おやま》の声は太かった。ここが鶴之丞の居間らしく、茶簞笥《ちゃだんす》の横に三味線が立てかけてある。

鶴之丞は、ものうげな手つきで、伊之助に茶をすすめた。

「それで？　どんなご用件でございますか」

「いや、あたしは高麗屋の使いじゃござんせんのですがね」

「…………？」

鶴之丞は顔をあげた。

「高麗屋にかかわりあいの者で、おかみさんのことについて話があると、そう取りついでもらったはずですが」

鶴之丞の顔が、さっと赤くなった。吊り気味の眼で、きっと伊之助をにらんだ女形役者の顔は美しかった。

伊之助が黙って見返すと、鶴之丞の顔からだんだんに怒りの色がとけ、かわってものうげな表情がうかんだ。まだ二十二、三のはずだが、さすがに檜舞台《ひのきぶたい》をふんでいる役者で、鶴之丞はとりみだした様子は見せなかった。

「高麗屋さんのお使いでなかったら、お帰りいただきましょうか。あたしは芝居から帰ったばかりで疲れていますのでね」

「おそれいります」

「お前さん、いったいどなたですか」

「その前につかぬことをおたずねしますが……」

と伊之助は言った。

「太夫は由蔵という男を、ごぞんじじゃありませんか？」

「由蔵……」

鶴之丞は眉《まゆ》をひそめた。

「小屋の者ですか？」

「いや、そうじゃないんですがね。それでは、由蔵という名前を聞いたことはございませんですか」

「知りませんよ、そんなひと。そのひとがどうしました？」

「ゆうべ殺されました。両国の更科《さらしな》に、高麗屋のおかみをたずねて行った帰りでした」

「…………」

「あたしは、その由蔵という男の友だちです」

伊之助はじっと鶴之丞を見た。鶴之丞の顔には、軽いおどろきと、いやなことを聞いた嫌悪感《けんおかん》のようなものが出ている。だが表情はそれ以上のものではなかった。ひどい撫《な》で肩、女のように華奢《きやしや》な指。

――この男は、由蔵を知らないのかも知れない。少なくとも、ゆうべ由蔵を刺した男ではない。

と伊之助は思った。新しい不審が湧《わ》いた。

「ゆうべ五ツ（午後八時）から五ツ半（午後九時）ごろ、更科で高麗屋のおかみと一緒でしたな」

「そう」

鶴之丞は、元のものういような表情にもどって、うなずいた。そのことを隠そうとする様子は見えなかった。

「その間に、あの離れに由蔵がたずねて行ったはずですがね」

「そんなひとは来ませんでしたよ」

鶴之丞は言ったが、ふととまどったような眼で、伊之助を見た。

どうしました？　と伊之助は言ったが、そのときには鶴之丞が何を考えているか、わかった気がした。

「部屋に、人は入って来なかったが、その時刻におかみが中座したんでしょう?」

「ええ」

「話し声が聞こえませんでしたかい」

「あたしは料理屋のひとと話してると思ったんですがね」

「男の声でしたか」

「そう。男の声でした。そんなに大きな声じゃなかったが」

「その男が由蔵です」

伊之助が言った。およその時刻の見当は双方でついていて、由蔵とおかみは離れの外で会ったのだろう。そして高麗屋のおかみはそのあと、物陰に待たせておいたもう一人の男を呼んで、由蔵のあとを追わせたのだろうか。

「鶴之丞さん、思い出してもらいたいんですがね」

「………」

「高麗屋のおかみですがね。あんたと会っていながら、そんなふうに中座したのは、ゆうべがはじめてじゃござんせんでしょ?」

「さあ」

伊之助は、由蔵のあとをつけて、はじめて更科を突きとめた夜のことを言った。

「この前会ったときのことですか」

と鶴之丞は言った。そして考えこんだが、やがてはっとしたように顔をあげた。

「そう言えば、そんなことがありました。ええ、あのひとは時どきそんなことがありましたね」

「高麗屋のおかみと会うようになったのは、いつごろからですかい」

不意に伊之助が聞いた。すると鶴之丞のととのい過ぎたほどきれいな顔に、ぽっと赤味がさした。そして鶴之丞は無意識のように身体《からだ》をくねらせた。男のものとも、女のものとも知れない、ぞっとするような色気がたちのぼるのを見て、伊之助はあわてて眼をそむけた。

「秋ごろからですよ」

声は太い男のものだった。眼をそむけたまま、伊之助は言った。

「高麗屋の主人に知れたら、まずいんじゃないのかね」

「さあ、どうでしょうか？」

と鶴之丞は言った。

「あたしは一夜を金で買われてお相手するだけで、かかわりありませんが、あのひとは平気のようですよ。ほかにもいらっしゃるようだし」

「ほかにも?」

「ええ、あたしのほかにもね。でもどうしてそんなことをおたずねになるんです?」

鶴之丞は、ものういような表情のまま言ったが、不意に伊之助をじっと見つめた。

「あなた、お上の筋のひとですね。そうでしょ?」

「いや、違いますよ」

「あのひとと会うのが罪になるのでしたら、あたしはことわってもよござんすよ」

「いや、あたしはさっき言ったとおり、由蔵という男の友だちです」

伊之助は膝《ひざ》を浮かせた。

「そのことならご心配なく。ただし、鶴之丞さん」

伊之助は立ち上がりながら、軽く脅《おど》した。

「あたしがこんなことを聞きに来た、などと高麗屋さんには洩《も》らさない方がいいですよ。ひと一人殺されています。知らんふりをなさるのが、身のためでございますよ」

——やはり、高麗屋をつつくしかないようだな。

千住《せんじゅ》街道に出て、鳥越橋の方にいそぎながら、伊之助はそう思った。

高麗屋のおかみは、鶴之丞だけでなく、ほかでも浮気しているらしい。しかも鶴之丞が、平気だったようだというからには、由蔵に浮気を嗅《か》ぎつけられて金を出していたということではないようだ。

由蔵と高麗屋の間に、おようが絡《から》んでいることは間違いあるまいと思ったとき、伊之助は不意に、眼の前をひとすじの光が横切ったのを感じた。

はじめて由蔵の家をたずねたとき、由蔵と一緒に暮らしていたおちかという女が、およう は通い女中で働いていたと言ったことを思い出したのである。

おようのその勤め先こそ、高麗屋だったに違いないと、伊之助は思った。

おうの

一

「悪いが、ひと足先に上がらしてもらっていいかね」

と、伊之助は言った。

親方の彫藤が版元に呼ばれて行って、昼すぎから留守だった。帰りは夜になると言い残して行っている。

仕事をしまう時刻まで、まだ半刻《はんとき》(一時間)ほどあるが、伊之助はこれからたずねたいところがあった。親方ににらまれないで、早上がり出来る機会など、めったにあるものではない。

「いいよ」

と峰吉が言った。峰吉は無口な男で、ひと言そう言っただけだったが、若い圭太《けいた》がにやにや笑って、コレと約束かね、と言って小指を出した。伊之助もにやにや笑った。仕事仲間にはそう思わせておく方が無難だった。

伊之助は一たん行徳街道に出、それから戸田因幡守《いなばのかみ》中屋敷の角から、小名木川の方にむかった。岡っ引の浅吉をたずねるつもりだった。

彫藤を出たときは、仕事をつづけている二人に対するうしろめたさがあったが、高橋を渡るころにはいつものの、およ うの行方をさぐる軽く緊張した気分にもどっていた。

浅吉は留守だった。

「でも、じきもどりますよ。暗くなるまでにはもどるって言って出ましたから」

と、浅吉の女房のおさくが言った。そして少し待ったらどうかと言った。

浅吉は弥八が岡っ引だったときに、下っ引をつとめたが、弥八が仕事を伊之助に譲ると、一たん仕事から手をひいた。五、六人いる下っ引の中では古参だったので、若い伊之助が後をついだのが面白くなかったようである。

だが、もともとそういう仕事が好きでもあり、根は善人だったからでもあろうが、人手がいることがあって伊之助が頼みに行くと、気軽に引きうけて手伝った。茶漬屋《ちゃづけや》の方は、おさくと、もう大きくなった娘の二人でやっていて、亭主の浅吉が顔を出すほどのことでもなかったのである。

店はすいていた。おさくは伊之助を奥の飯台にみちびいてかけさせると、お茶を出した。そして突然にたずねて来た伊之助を、べつに不審に思うふうでもなく、昔の話を少しした。おさくは肥《ふと》って背がひくく、亭主と似あいの気のいい女だった。

おさくが言ったとおりで、浅吉はそれから四半刻も経《た》たないうちに帰って来た。

「おう、めずらしいひとが来てるな」

浅吉は、機嫌よく言った。そして伊之助が、少し聞きたいことがあって来たと言うと、大げさに伊之助の肩を叩《たた》いて、よしわかった、外に出ようと言った。

外へ出ると、浅吉はへ、へと笑った。

「いっぺえ、やりてえ気分だったのだ。ちょうどいいところに来てくれたぜ」

浅吉は背をまるめて先に立った。そしてどんどん町をはずれると、隣の大工町の方に入って行った。

ここの大工町は、以前小名木川の川沿いにあったのが、御船手の組屋敷に地所をとられて移って来た町で、霊雲寺《りょううんじ》の境内に沿って、細長く東にのびている。町並みはもう薄暗く、人影もまばらだった。

薄暗い町を、冷たい風が吹き抜けていた。うう、寒いやと言いながら、浅吉は途中の小路を左に曲がった。すると赤い提灯《ちょうちん》が目に入った。浅吉は伊之助を振りむいて、ここだと言った。

中は居酒屋だった。勤め帰りらしい職人風の男たちが三人、細長い店の奥で、声高《こわだか》にしゃべりながら酒を飲んでいた。

「あら、親分」

板場から顔を出した女が声をかけた。浅吉はその声の方に軽く手を振り、奥を借りるぜと言った。店に入ると、すぐ左手に細長い土間があって、その奥に行燈《あんどん》がともっている障子が見えた。

浅吉は自分の家のように、その障子をあけて、部屋に上がって行った。伊之助もうしろにつづいた。誰もいなかったが、長火鉢の上に鉄瓶が鳴っていて、女の匂《にお》いがした。部屋の隅の衣桁《いこう》に、赤い長じゅばんがかけてある。なまめかしい感じがする部屋だった。

座ぶとん、座ぶとんと言いながら、浅吉は勝手に押し入れをあけて座ぶとんを取り出し、伊之助に、敷いてくれというと、自分は長火鉢のむこうに坐《すわ》って灰吹きを引きよせた。

「いま、酒を持ってくる」

きせるに煙草《たばこ》をつめながら、浅吉は言った。妾宅《しょうたく》をたずねて来た旦那《だんな》という恰好《かっこう》だったが、それについては浅吉は、べつに何も言わなかった。頰をくぼませて、火鉢の炭から火を吸いつけた。

「で、聞きてえことってのは、何だね」

と浅吉は言った。

「万年町の高麗屋のことは、くわしいかね」

「高麗屋？」

浅吉はきせるを口から離した。驚いた顔になっていた。

「こいつは驚いた」

「なぜだい？」

「おれァさっき、高麗屋から帰って来たばかりだぜ」

「…………」

今度は伊之助の方が、じっと浅吉を見つめた。奉行所では、もう高麗屋のおかみのことを嗅《か》ぎつけたのか。

「もっとも、店をじかにたずねたわけじゃなかった。帳付けをやっている清作という男に会って来たのだが」

「その男に、何を聞いたのかね」

「ながれ星という盗っとのことだよ」

「ああ、その盗っとの話なら聞いている。清作とかいう男が、かかわりがあるのかね」

「そうじゃねえさ。高麗屋がやられたんだ。ところがよ……」

浅吉が身をのり出したとき、ごめんなさいという女の声がして、酒肴《しゅこう》の支度を盆にのせた女が部屋に入って来た。面長《おもなが》の顔も、すらりとした身体《からだ》つきも垢抜《あかぬ》けた感じがする、二十すぎの女だった。

女は伊之助に、にっこり笑いかけていらっしゃいと言った。そして浅吉の方に身体をかたむけるような身ぶりをして、ここでいいかしらというと、猫板《ねこいた》の上に器用な手つきで銚子《ちょうし》と肴《さかな》の皿をならべた。

「あとは、勝手にやってくださいな」

女は猫板の上の三本の銚子とはべつに、銚子二本を鉄瓶のふたをとって沈めるとそう言い、もう一度にっこり伊之助に笑いかけて出て行った。

「高麗屋が盗っとにやられたってんで、すぐ半沢の旦那と行ってみたのよ。ところが、だ」

浅吉は、女が出て行くといそいで話をもどした。伊之助に、女のことを聞かれるのをいやがっているようにも見えた。

浅吉は、半沢と二人で調べに行ったときのこと、その後で半沢に、少し突っこんで調べてみろと言われたことを話した。

「主人夫婦には、首を突っこんでいると思われたくねえ調べだからな。誰に聞いてもいいってもんじゃねえ」

浅吉は伊之助に酒をつぎ、鼻をうごめかすような表情をした。

「おめえならどうしたか知れねえが、おれは通い女中に眼をつけた」

「通い女中？」

伊之助はちらとおようのことを思いうかべた。

「むろん、通いだから、夜は泊らねえ。盗っとのことを聞いたんじゃねえよ。住みこみの奉公人で、夜の戸締りなんかをみているのは誰だと聞いたのよ。すると、おまつという女だが、その女がそれなら帳付けの清作だと言ったんだ。それで今日おまつに言いふくめて、清作を外に呼びだしてもらったというわけよ」

「うまい手だ」

と伊之助は言った。むろんお世辞だった。

伊之助ならそんなまわりくどいことはしない。近所の口から、女中頭《じょちゅうがしら》といった役目の女のことを聞き出して、つかまえて金をにぎらせる。

仕事のことはともかく、家の中のことを知っているのは女だ。そして大ていの女は、その家の中で知ったことを、誰かにしゃべりたくてうずうずしているのだ。

浅吉は、伊之助にほめられて、胸をそらした。

「そうだろ。むろんおまつにも清作にも、ちゃんと口どめしてある。通い女中てえのは口が軽いからな。お上が店のことを聞きまわってるなんて、あちこちでしゃべられちゃかなわねえ」

「金をやったのか」

「なあに、十手《じって》を見せたらふるえ上がっちまったぜ」

それじゃ清作の方はともかく、おまつの方はその話をどっかに洩《も》らしているかも知れない、と伊之助は思った。

「で、何かわかったかね？」

「それが、さすが半沢の旦那だ。いいカンをしていなさる」

「…………」

「高麗屋が盗っとに入られたのは、今度がはじめてじゃねえんだ」

浅吉は、盃《さかずき》をおいて声をひそめた。

「その前に三度も入られてる。つまり今度が四度目ということだ」

「入られた日にちは聞いたか」

「むろん聞いたさ。一番最初が、七月二十日だ」

浅吉がいう日にちを、伊之助は全部記憶にきざんだ。そして言った。

「それで、四度目になった今度、やっととどけて出たということだな」

「そうよ。ふざけた話だ。こいつはどういうことだい？」

「半沢の旦那には話したか」

「清作に会ったあと、平野町の番屋で落ち合って話した」

「何か言ったかね」

「うむ、と腕を組んでたね。むつかしい顔をしてらしたぜ」

「そうだろうな」

「どうだね。おれにはどういうことか、さっぱりわからねえが、高麗屋はなんでとどけなかったと思うね？」

「おれにわかるわけはない。妙な話だ」

と伊之助は言った。そして浅吉に酒をついだ。

「高麗屋の主人は、顔を見かけたことがあるが、おうのというおかみさんてえひとは見たことがない。どんなおひとかね」

「べっぴんだ」

と浅吉は言った。

「きれいで、品があってよ。まるで天女だ。あのひとにくらべりゃ、おれのかかあんざ、女のうちに入らねえや」

伊之助は浅吉と別れると、町を抜けて大川端に出た。風はやんでいたが、きびしい冷えが身体を刺して来た。

ながれ星という盗っとは、なぜそんなにしつこく高麗屋を襲ったのか。それをまた、高麗屋はなぜとどけ出なかったのか。とどけなかったのは、そのことを知られるとぐあいが悪かったのだ。だが、なにがぐあいが悪いのか。

伊之助は歩きながら、しばらく浅吉に聞いたことを、頭の中で思いめぐらしたが、間もなくその考えを捨てた。そのことは、半沢がもう考えつづけているだろう。

——明日は仕事を休もう。

と伊之助は思った。今夜浅吉に会って、どこから高麗屋にとりついたらいいかわかったのは、とんだ拾い物だったと思っていた。

二

翌日の昼ごろ、伊之助は家を出てまっすぐ万年町にむかった。

二ツ目橋から森下町に出るいつもの道を避けて、大川の河岸に出る遠まわりの道をえらんだのは、森下町のあたりで、ひょっくり親方に会ったりしたらかなわないと思ったからだが、その用心も、小名木川を南にわたったころには忘れた。

河岸をさらに南にさがって、仙台藩の蔵屋敷から左に折れる。俗にいう仙台河岸である。海辺橋《うみべ》まで、まっすぐの河岸通りだった。掘割の水に、春のような日の光がくだけ、あたたかい日だった。そのせいか、河岸には人通りが多かった。

海辺橋をわたって、反対側の河岸を少しもどり、万年町一丁目と二丁目の間の道から町に入った。

高麗屋の店先を斜め前から眺められるところに、一膳《ぜん》めし屋があった。伊之助はそこに入って、焼き魚でゆっくり飯を喰った。それから勘定をはらって外に出ると、向い側の小路に入り、高麗屋の裏に回った。

ずっと黒板塀《くろいたべい》が続いていたが、とちゅうにある潜《くぐ》り戸を押すと、わけもなく開いた。女たちは日中、そこから出入りするのだろう。伊之助は中に入って潜り戸をしめた。

浅吉が言ったように、大きな屋敷だった。伊之助が、半沢から手札《てふだ》をもらって町回りをはじめたころに建った家だが、建てはじめるとすぐに塀を回してしまい、中でどんな造作《ぞうさく》がすすんでいたのか、眼で確かめたことはない。

そして出来上がった店の表は、間口はひろかったが、大きな商家といった構え以上のものではなかった。

現物を扱う店ではないので、そのひろい間口の店先は、出来上がった当時、むしろひっそりして見えたことを記憶している。

だが一歩屋敷の中に入ってみると、そこにはなみなみでない贅《ぜい》が凝らされているようだった。森のように樹木がしげる庭が左手にひろがっていた。そして池の端《はた》までのびたひと棟は、数寄屋《すきや》ふうのさびた作りになっている。

伊之助はその一画を軽く一瞥《いちべつ》してから、低い柴垣《しばがき》に沿った道を右に歩いた。すると台所口と思われる場所に出た。中で女たちが笑いさざめいている声が聞こえた。

女たちが五、六人飯を喰っていた。だが、伊之助を見ても、飯を喰うのをやめず、おしゃべりもやめなかった。一人が振りむいて、青物屋《あおものや》さん？　と聞いただけだった。

「おまつさんというひとがいますかい」

と伊之助は言った。すると、丸顔の十八、九と見える若い女が、箸《はし》を置いて、あたし？　と言った。

あんたに用だってさ、いいひとからの言伝《ことづ》てだよ、はやく出てやんな。女たちは口ぐちにはやして笑った。おまつも薄笑いをうかべて立って来た。

だが、台所口をしめて外に出て来たとき、おまつの顔から笑いが消えて、警戒するようないろがうかんだ。

「あんたが、おまつさん？」

「ええ」

「浅吉親分の使いの者だが……」

伊之助がそういうと、おまつの顔にはほっとしたようないろがうかんだ。黙って台所から立って来たとき、おまつは不意に自分をたずねて来た男が、そういうだろうと予想していたようだった。

——思ったより、利口そうな娘だ。

と伊之助は思った。

「まだ何か、ご用なんですか？」

「昨日、親分に頼まれてしたことは、誰にも話してないな？」

「話してなんかいません」

「よし」

と伊之助は言った。

「あと、ひとつ二つあんたに聞きたいことがあるんだ」

「早く言って」

「あんた、おようというひとを知ってるかね。あんたのように通い女中をしていたひとだ」

「知りません」

「名前を聞いたことは？」

「いいえ」

「あんたがここへ来てからどのぐらいになるかね？」

「ひと月半ほど」

「そうか。あとひとつだ」

「…………」

「ここの女中頭《じよちゆうがしら》は何てひとかね」

「おふじさんです」

「いま、連れて来てもらえるかね」

おまつははげしく頭を振った。おまつの顔には、ほとんど恐怖に近い表情があらわれている。深入りすることを恐れているというよりも、直接におふじをこわがっているようだった。

「そうか。そのおふじさんは、外に買物に出るかね」

「ええ」

「どこへ行くかわかってるかい」

「隣の平野町の肴屋《さかな》さんに。魚吉という肴屋です」

「ひとりかね？　それとも誰かを連れて？」

「ひとり。いつも夕方の七ツ（午後四時）すぎにひとりで」

伊之助はおふじの姿、形を二つ三つ聞いた。そしてすばやく紙に一分銀をひとつ包むと、おまつの手ににぎらせた。

「ありがとうよ。もうあんたに聞くことはない。こわがらせて悪かったな」

おまつは首を振った。いま話したことは内緒だぜと言うと、おまつは強くうなずいた。

高麗屋を出ると、平野町との間から表通りに出て、魚吉という肴屋がそこにあることを確かめた。店は開いていて、鉢巻をした若い男が、桶《おけ》から青白い魚をつかみあげていた。

伊之助は平野町から油堀《あぶらぼり》を、対岸の黒江町にわたった。そして日影町をさらに南にくだって、途中から左に折れ、やがて西念寺横丁裏の仲町に踏みこんだ。おようがそこから、助けを呼ぶ手紙を送ってきた町だった。

町はひっそりしていた。冬の日は、まだ八ッ（午後二時）前と思われるのに、夕方のように長い影を町に落としていた。人影はなく、家々は戸を閉じ、どこからともなく物の饐《す》える匂《にお》いが漂ってくる。町はまだ、昨夜の疲れをいやすために、深い眠りをむさぼっているようだった。

――およう は、まだこの町にいるのだろうか。

迷路のように入り組んでいる小路から小路へ、足音を盗むようにして歩きながら、伊之助はそう思った。いるなら、おようもまた、死体のように身動きもせず眠っているはずだった。

ある路地を曲がろうとしたとき、伊之助は、はっとして身体をひいた。一軒の小料理屋のようなつくりの家の前で、白髪の男が店の前を掃いていた。男の背は弓のように曲がっていて、おぼつかない手つきで地面を掃いている。

町が目ざめはじめたのだった。伊之助は、男に見つからないように、足ばやにいま来た路地をひき返した。

おふじという女が、魚吉に姿をあらわしたのは、伊之助がその店先が見える場所に立ってから四半刻《しはんとき》（三十分）近く過ぎてからだった。おまつが言ったとおり、三十過ぎの固ぶとりした女だった。背も高く、いかつい身体《からだ》つきに見えた。面長の顔は、十人並以上の美人顔なのに、どことなく近よりがたい感じがするのは、眼に険があるせいだった。

おふじは念入りに肴をえらんだ。そして肴屋の若い衆に、指で示しながら、幾つか指図すると、店を離れて歩き出した。肴は後でとどけられるのだろう。

おふじは急いでいなかった。町を往《ゆ》き来《き》している人びとにまじって、小間物屋の店先をのぞいたり、古手屋《ふるて》の吊《つ》るしを眺めたりしながら、ゆっくり歩いている。すぐにもどるつもりではないらしく、高麗屋とは反対の方に歩いていた。

伊之助はうしろから出て、おふじとならんだ。

「高麗屋のおふじさんですね」

「…………」

おふじはじろりと伊之助を見た。足はとめなかった。

「おたずねしたいことがあるんですが、ちょっとそこまでつきあっていただけませんか」

伊之助は、すぐそこに見えるそば屋を指さした。はじめておふじが足をとめた。真正面からけわしい眼で伊之助を見た。

「どなたですか?」

「伊之助という者です」

「知りませんね、そんなひと」

　おふじはくるりと振りむいて、いま来た道をひき返そうとした。その袖を伊之助が握ると、おふじはきっと振りむいた。眼に怒りが動いている。

「お放し。声を立てるよ」

「あんたが使っている女中さんのことで、よくない噂《うわさ》を聞いたんですがね。それを往来なかでばらしてもよかったら、どうぞ」

　そばを通るひとが、けげんそうな顔で、二人を見て過ぎた。おふじは伊之助の顔を見て、通りすぎるひとを見た。伊之助は微笑してみせた。

「何だか知りませんがね。ちょっとだけですよ」

　おふじはそう言うと、自分から先に立って、そば屋に入って行った。

　伊之助は、かけそばをくんな、と言い、おふじに何かたべますかねと言った。

「あたしはけっこう。それより聞きたいことって何ですか」

　伊之助は懐《ふところ》から財布を出し、おふじが見ている前で、紙に一分銀二つを包んだ。そしておふじの前に押しやった。

「何のまねだか……」

おふじは表情も変えずに言った。だが金は押し返さずに、眼で伊之助をうながした。伊之助を恐れたりはしていない、強い視線だった。

「お店の通い女中に、おようという娘がいませんでしたかい？」

「いましたよ」

おふじはそっけない口調で言った。伊之助は息をのんだ。やはりおようは、高麗屋に通っていたのだ。

「それで、いまはいないと？」

「やめましたよ、あの娘は」

「本人が、やめると言ったんですかい？」

「ことわりなしですよ。来なくなったから、やめたんでしょ」

「それはいつですかね。来なくなったというのは」

「九月だったねえ」

「九月の何日か、おぼえてませんかね？」

「九月のね」

おふじはそば屋の入口の障子にうつっている赤い日の光を、じっと見つめた。思い出そうとしているのだ。その間にそば屋のおやじがそばを運んで来た。おふじを見て、こちらさんは？　と言ったが、伊之助は首を振った。

「九月の、十六日ですよ」

その日づけを、伊之助は心にきざみつけた。

その日、おようは何者かにどこかに連れ去られたのだ。なぜかは、まだわからない。

「おようは、高麗屋でどんな仕事をしてたんですかね」

「接待の係ですよ」

「接待？」

「お客がありますからね、しじゅう。そりゃお客がないときは、台所も手伝いましたけど」

「どんなお客です？」

「どんなって、いろいろでね」

おふじは飯台の上の紙包みを見た。

「取引き先の旦那衆《だんなしゅう》とか、山元《やまもと》から来た客とか、同業の旦那衆とか、お武家さまとかね」

三

「お武家？」

伊之助は聞きとがめた。

「お店には、お武家も来ますんですかい？」

「うちは、お上のご用をつとめる材木屋ですよ」

とおふじは言った。そんなことも知らないのか、というような眼つきで伊之助を見た。

「なるほど、すると作事方《さくじ》のお役人かなにかですな。ふむ。お仕事の打ち合わせなどもありましょうからな」

と伊之助は言った。だが心の中では、そうではあるまい、と思っていた。仕事の打ち合わせなら、高麗屋が役所の方に出向いているはずである。招いてもてなしているのだ。

「お武家が来て、酒が出たりすると、おようはその席に出て、お酌をしたりしてたわけですかね」

「そうですよ。お武家さまのときとはかぎりませんよ。ほかのお客さんもよくおみえですからね」

「ふむ」

伊之助は腕を組んだ。高麗屋に来る武家というのがひっかかっている。それが役人なら、役人と商人のつながりの裏には、大てい金が動いているのだ。

そういうことはめずらしくも何ともないのだが、普通そういう場合、もてなす方は、武家が出入りしてもおかしくないような料理茶屋などに相手を招く。そこで飲ませ、ことによっては女も抱かせ、金をつかませるのである。

店に呼んで、まさかそこで女を抱かせるわけではあるまい。そこまで考えたとき、伊之助は、はっとした。おようの接待役というのには、そういう仕事まで含まれていたのではないか。

「おふじさん」

伊之助は声をひそめた。

「その接待ですがね」

「………………」

「まさか、お客と寝たりする役目もあるんじゃないでしょうな」

「何考えてんですか、バカバカしい」

おふじはさげすむような眼で、伊之助を見返した。

「冗談もほどほどに願いますよ。高麗屋は材木屋で、お女郎屋じゃありませんからね。聞きたいっていうのがそんなことなら、あたしはもう行かせてもらいますよ」

「ちょっと待った」

伊之助は、腰を浮かせかけたおふじを、手をのばして坐《すわ》らせた。

「げすのカン繰りというやつでね。気ィ悪くしないでくださいよ」

「それにしても、もう帰らなくちゃ」

おふじは飯台の上に乗った紙包みを、ちらと見た。

「もうちょっとで済みますよ。そのお武家さまですがね。来るのはいつも同じ方ですかい？」

「さあ」

おふじは、不意にあいまいな顔になった。

「それは、あたしもよく知らないんですよ。お客さまのおもてなしは、おかみさんが全部なさいますからね。あたしがまかされているのは、台所だけですから」

「ああ、そうですか」

伊之助はうなずいた。

「ではもうひとつだけ」

「………」

「妙なことを聞きますがね。お店の旦那《だんな》さまとおかみさんの夫婦仲はどうですかい？」

「ほんとに妙なことを聞くひとだ」

おふじは笑いもしないでそう言った。

「夫婦仲はいいに決まってるじゃありませんか。おしどり夫婦と言われてますよ。美男美女の似あいのご夫婦ですから、そりゃもう、町のひとがうらやむぐらい」

「町のひとの噂《うわさ》を聞きたいんじゃないんだ」

伊之助は飯台の紙包みを手もとに引き寄せた。そして紙をひらくと、財布から一分銀をもう二つ出して包みなおした。おふじの眼が、吸いつけられたように、伊之助の手の動きを追っている。

「ほんとのところはどうなんです？」

「………」

「あんたなら、ほんとのことを知ってると思うんだが」

黙っていたおふじの顔が、不意に真赤にそまった。おふじはそのままなおも口を開かずに黙っていたが、けわしい眼つきで伊之助を見つめると、ほかのひとには言ってもらっちゃ困りますよ、とささやいた。

伊之助がうなずくと、おふじはかすれた声で言った。

「とんでもないひとですよ、あのひとは」

「………」

「男狂いがやめられないんですよ。三日と辛抱できないんですから、ええ」

せきを切ったように、おふじはしゃべり出していた。

「そりゃあね。お店にお客さまを迎えたときなどは、お二人ともさも仲よさそうにしてますよ。でも、そんなのは嘘《うそ》っぱち。夜になると、寝るのも別々ですからね。寝るのが別どころか、あのひと平気で男と外で泊って来ますよ。なんていやらしい。あれじゃ、旦那さまがおかわいそうですよ」

「それは、店のひとがみんな知ってることですかね」

「とんでもない」

おふじははげしく手を振った。

「知っているのは、旦那さまとあたしだけ。もうそりゃほかのひとに知れないように、ほんとに苦労してるんですから」

伊之助は紙包みを、おふじの手もとに押しやった。

「いつからですかね、そんなふうになったのは」

「いつからって？」

「かまいませんよ。それ、取っておくんなさい」

伊之助は手をのばして、おふじの手に紙包みを握らせた。

「つまり、いつごろからご夫婦の仲がそんなぐあいになったかということですがね」

「さあ」

おふじは紙包みを帯の裏に押しこみながら、考えこむ顔つきになって言った。

「そんなむかしのことじゃありませんね。ついこないだまでは、そりゃほんとに仲のいいご夫婦だったんですから。あんなになったのはそうね、九月ごろからかしら」

「なんでおかみさんが男狂いをはじめたか、わけをご存じですかい」

「あたしにわかるわけがないじゃありませんか。あたしはそんな淫乱《いんらん》と違いますからね」

おふじはきっとなって言った。おふじはもう、女主人に対する敵意を隠そうとはしていなかった。この女は、ひょっとしたら旦那を好いているのかも知れないな、と伊之助はふっとそう思った。

おふじが出て行ったあと、伊之助は箸《はし》を割ってそばを口に運んだ。つゆを吸ってふくれあがったそばは、うまくも何ともなかったが、伊之助はおふじから聞いた話に、まだ心を奪われていた。

おようが姿を見せなくなったのが九月十六日で、高麗屋の主人夫婦の仲がおかしくなって、おかみが男狂いをはじめたのが九月だという。ただの符合とは思われなかった。そのころ、高麗屋に何かが起こったのだ。

「旦那、そばがのびちまって。うまかござんせんでしょう」

そば屋のおやじの声がした。伊之助は、はっと顔をあげて声の方をふりむいた。おやじが板場からぶっちょう面《づら》をつき出すようにして、じっとこちらをのぞいている。

伊之助はどんぶりに眼を落とした。そしてにが笑いしながら言った。

「熱いのと、とっけえてもらおうか。話にみが入って、そばを喰えなくしちまった」

「へい、ただいま」

おやじは機嫌をなおした顔になって、いそいそとそばをつくりにかかった。

そば屋を出ると、町はもうほの暗くなっていた。昼の間はあたたかかったが、夜のおとずれとともに、寒気がもどってきていた。肌を刺して来る寒さに、伊之助は首をちぢめた。

ほの暗い町に、まだ人が動いていた。もう戸を閉めた店もあったが、青物屋、肴屋《さかな》などは店先に灯を入れ、声を嗄《か》らしてまだ客を呼んでいる。伊之助は平野町と万年町の間から、高麗屋の店がある町筋に入りこんだ。もう一度、店の様子を見て帰ろうと思ったのだ。

町の者は、岡っ引やその手下の下っ引を、陰でこっそり犬と呼んだりする。こそこそと、つねになにかを嗅《か》ぎ回っているからだ。むろんその言いかたには、彼らの嫌悪《けんお》の気持がこめられている。嗅ぎつけられて困るようなことが何もなくとも、そういうことを仕事にしている人間がいることは、気味が悪いことなのだろう。

——なるほど、犬だ。

高麗屋の方にもどりながら、伊之助はそう思ってにが笑いした。高麗屋の前の通りは、平野町とならんだ表通りにくらべると静かで、人の姿も、前方に二、三人の人影が黒くうごめいてみえるだけであたりはそのまま夜をむかえる気配だった。

高麗屋は、もう店の戸をおろしていた。何ということもない律儀《りちぎ》な商家が、一日の商いも終わった姿にみえたが、固くしまった板戸のむこうから、いまは、あるいかがわしい感じが強く匂《にお》ってくる。伊之助は鋭い眼で、潜《くぐ》り戸のあたりを一瞥《いちべつ》し、足音もなくその前を通りすぎた。

家にもどると、伊之助はひさしぶりにゆっくり時をかけて飯の支度をした。かけそば一杯では、腹がおさまらなかった。支度が出来ると、伊之助は熱い味噌汁《みそしる》と煮肴で飯を喰った。

九月ごろ、高麗屋に何が起きたのか。おようの失踪《しっそう》とおかみの男狂いには、何かつながりがあるのか。そのへんを確かめるには、高麗屋のおかみに、じかにただすほかはないな、と伊之助は思った。

十手《じって》も手札も持たない人間が、岡っ引めいた仕事をするのだから、それが楽に出来ることだとは思わなかったが、かりに十手を持っていて、正面から高麗屋に乗りこんだところで、主人夫婦から何かを聞き出すことはむつかしいだろう。げんに浅吉などは、いまだにおかみを天女か何かだと思っている。ほかに手を考えるしかないだろう。

そう思ったとき、伊之助は箸をとめた。頭の中に、何か気になるものが浮かんで来たのである。そして、それが何だったかに思いあたったとき、伊之助はあわただしく箸と椀《わん》を置いて立ち上がった。

伊之助は茶簞笥《ちゃだんす》のひき出しをあけて、中から紙を一枚取り出すと、行燈《あんどん》のそばにもどった。片膝《かたひざ》をついて紙の文字に眼をこらした。そこには、浅吉から聞いた、ながれ星という盗っとが高麗屋に押入った日にちが、書きつけてある。

七月二十日　九月十五日　九月二十八日　十二月七日。

「これだ」

伊之助はつぶやいて、九月十五日という日にちを指ではじいた。それはおようが高麗屋に姿を見せなくなった日の、前の晩ということになる。これも何かの符合なのか。伊之助は飯にもどるのも忘れて、じっとその紙切れを眺めた。

その夜床に入ってから、伊之助はようやく今日仕事場を休んだことを思い出したが、そのうしろめたさは、わずかに心を染めただけで消えた。闇《やみ》の中に眼をひらいたまま、伊之助はどうしたら高麗屋のおかみ、おうのと会えるかを考えつづけた。

四

「馴《な》れそめは芝居でさ。おれの女が、芝居見につれてけってせがむもんだからね。中村座につれて行ったのよ。そこで会ったんだ」

三次郎は顎《あご》をなでた。二十五、六で、ひげのそりあとが青々としている好男子だが、この男はやくざ者である。高麗屋のおかみ、おうのの隠し情夫《いろ》の一人だった。

「すぐ横の枡《ます》にいてね。ちらっちらっと流し目を送って来やがる。見たところおとなしそうなのに、色っぽいの何のって、ありゃしねえよ。こっちもよ、悪い気はしねえやな。おれも、こう見てやってね。芝居なんざ、眼にはいるもんじゃねえ。しめえには、気づいたおれの女が気ィ悪くして、帰ろうなんてぬかす始末さ」

三次郎は次の日も中村座に行った。立見席から昨日の枡を見ると、女がいた。昨日は女中とみえる小女を連れていたが、その日は一人だった。そして三次郎を見つけると枡を立って来た。

「それから二人でさっき言った小料理屋に行ってね。あっという間に出来ちまったってわけよ」

「そいつはいつごろの話だね」

と伊之助は言った。

「さあて、ざっと二月《ふたつき》も前かな」

「それからずっとつづいているわけだな」

「そういうことだ」

三次郎は、通りかかった女に、茶を換えてくんなと言った。二人は東両国の水茶屋にいた。伊之助はぬるくなった茶をすすった。

「それじゃ、ずいぶんいい思いをしたわけだな」

「はじめはおれもそう思ったさ。こいつはとんだ拾いもんだとね。なにしろ女がいい。

見たとこ大店《おおだな》のかみさんといったようすで、なにしろ品があらあな。おっとりしてるんだ。かみさんといってもよ、旦那《だんな》の前だが身体《からだ》なんざ娘みてえに若くってね。おまけに、寝たあとで金をくれやがった」

「ほう」

「こいつはこたえられねえと思ったぜ。正直のところをぶちまけると、飽きたところでひと脅《おど》しして、金にする手もあると思ったしな」

「…………」

「ところが、これがえれえ女だった」

三次郎は女中が持ってきた茶をがぶりと飲み、あっちっちと言って舌打ちした。それから急に卑《いや》しげな笑いをうかべて、伊之助を見た。

「旦那は色気ちげえっての、ご存じですかい？」

「会ったことはねえな」

「おれもよ、話には聞いてたが、お目にかかったのははじめてよ。あの女がそれなんですぜ。まったく、虫も殺さねえ顔してよ」

「…………」

「どうもおかしいとは思ったんだ。初手から、やっこさんのよろこびようと来たら、ただごとじゃなかったからな、うん」

「それで、どうしたね？」

「はじめはこっちものぼせ上がってたから、気づくもんじゃねえ。しかし、途中ではてなと思ったぜ。こいつはただのしろものじゃねえってな。なにしろ、泊ってもひと晩眠らせねえのよ。女の方がだぜ。こいつはいくらおれが好き者でもこたえた。女に会った次の日は、飯もくわねえで日がな一日眠りこけるってざまよ」

「そいつはごくろうなことだ」

伊之助はにが笑いし、いい気の男に皮肉を言った。

「それでも離れずにつづいているところをみると、お前さんも似あいの色気ちげえってわけだ」

「とんでもねえや」

三次郎は手を振った。

「いくらなんでも、毎度それじゃ飽きがくらあな。そこで女のあとをつけたんだ。旦那に言ったとおりで、おれはまだおりくって名前を聞いただけで、あの女の家も知っちゃいねえんだからね。脅して金にするために、家をつきとめるつもりだった」

「ふむ」

「ところが、女の駕籠《かご》が新大橋にかかったところで、妙なやつが飛び出して来てよ。いきなり殴りかかって邪魔しやがった。おれも喧嘩《けんか》は嫌いじゃねえが、そいつにはかなわなかったな。もうちょっとで大川にほうりこまれるところだったぜ」

「そいつの顔を見たかね」

と伊之助は言った。

「いや、暗い晩だったから、野郎のつらなんざ見えるもんじゃねえや。そして言うことがキザだよ。あとをつけようなんて気をおこしたら、この次はただじゃすまねえ、ぷっすりやると、こうだぜ」

「………」

「そういうやばい目にもあったしよ。おれもそろそろ退《ひ》けどきだと思ってるんだが、会えば小遣いが手に入るもんだからね」

「いくらもらうんだね」

「一度会って二両だ。これで相手が色気ちげえでなきゃ御《お》の字なんだが、世の中うまく行かねえもんさ」

伊之助はにが笑いした。そして鼻紙に一分包むと三次郎に渡した。

「それじゃ今夜は、おれがその女に会ってくるが、いいな」

「いいよ。なんだったらかわりに寝てやったら、あの女は喜ぶぜ」

「バカ言いな。そういう用事じゃねえや」

「旦那は、あの女の素性を知ってんじゃねえのかい?」

と三次郎は言った。

「何者だい? いいとこの後家さんじゃねえかとおれはにらんでるがね。一ぺんためしてみるといいんだ。何しろすごいよ」

水茶屋を出たところで三次郎と別れると、伊之助は両国橋を渡った。そして広小路を横切って米沢町《よねざわ》の小路に入りこんだ。時刻はまだ五ツ(午後八時)前だろうと思われるのに、町は暗く人通りが少なかった。風はないが、暮れちかい夜の寒気が、肌を刺してくる。

三次郎は色気ちがいだと言ったが、こんな寒い晩に、男に会うために、それも三次郎のような男に会うために万年町から来るとすれば、高麗屋のおかみおうのは、本当に色気ちがいかも知れないという気がした。

高麗屋の女中頭おふじに会ったあと、伊之助はおうの一本に的をしぼった。毎晩のように高麗屋を見張り、おうのが駕籠を呼んで出かけるのを見ると、すかさずあとをつけた。そしてわかったことは、役者の鶴之丞《つるのじょう》が言ったように、おうのの浮気相手が、鶴之丞一人でなかったということだった。

おうのは、いろいろな場所で、それぞれ違う男と会っていた。四十前後の新内語り、いつも水茶屋で待ちあわせて出かける、二十過ぎのにやけた若旦那ふうの男、そしてやくざ者の三次郎。少なくとも鶴之丞のほかに、この三人がいた。おうのは、手あたり次第に男を漁《あさ》っているようにみえた。

伊之助は、出かけた先でおうのをつかまえるしかないと思っていたのだが、浮気相手の一人がやくざ者だということを突きとめると、そくざにその男と話をつけることにした。

おうのが男と待ちあわせる場所に、伊之助が乗りこむという話をつけるのに、新内語りや、商家の若旦那を説きふせるには面倒があったが、やくざ者のあつかいなら多少の心得があったからだ。話してみると、三次郎というそのやくざ者が、おうのの素性を知らなかったのも好都合だった。

伊之助は頭からお調べの筋だと言い、清住町の浅吉、仲町の茂平の名を出し、自分は下っ引をつとめているように匂《にお》わせた。それだけで三次郎はあっさり承知した。そして何だったら身代りに行ってくれていいぜと言い、今日、会う約束が出来たと連絡して来たのである。おうのは、今夜五ツ（午後八時）に、長谷川町の「おもかげ」という小料理屋で、三次郎を待っているのである。三次郎を呼び出す使いは、その小料理屋から来るのだと言う。

——三次郎を痛い目にあわせた男というのは誰だ？

人気のない道をいそぎながら、伊之助はそう思った。さっきその話を聞いたとき、伊之助がとっさに思いうかべたのは、由蔵《よしぞう》を刺した正体不明の男のことだった。

正体はわからないが、その男はいつもおうののうしろに、影のようにつきまとっているらしい。そう思ったとき、伊之助はぞっとしてうしろを振りむいた。これまでおうのの後をつけていたことを、すでにその男に勘づかれている気がしたのである。

だが暗い道には、人の姿が動いているともみえなかった。それも、おうのに会えばわかることだ、と伊之助は思った。

小料理屋は、路地から少しひっこんだ場所にある、目立たない店だった。小さく粋《いき》につくった軒行燈《のきあんどん》に、女文字でおもかげと書いてある。

「おりくさん、来てますかい」

伊之助は、出て来た女に三次郎に言われたとおりに言った。三次郎は、おうのがそういう名前の女だと思っているようだった。

「どうぞ、こちらへ」

小肥《こぶと》りの、女中らしい若い女は疑うようすもなくそう言って、伊之助を店に上げた。小料理屋といったが、結構間数がある店らしく、通りすぎたいくつかの部屋の中から、酔いの回った話し声や笑い声が洩《も》れて来た。

暗い部屋を二つほど通りすぎたあとで、肥った女中は立ちどまると、黙ってひとつの部屋の襖《ふすま》をあけた。

そして、ここですよとささやくとすぐに引き返して行った。中は暗かった。

伊之助は部屋の中に入った。そして襖をしめた。暗いと思ったが、すぐに眼が慣れて、酒肴《しゅこう》の支度らしい膳《ぜん》と行燈が見えて来た。眼が慣れたのは、襖を閉め切ってある次の間から、かすかに灯のいろがこちらに流れこんできているせいだった。

伊之助は部屋を横切って、次の間の前に行くと静かに襖をあけた。厚い夜具の中に、女が寝ていた。枕《まくら》もとの小行燈が、むこう向きになっている女の髪を照らしている。部屋の中には、むせかえるような化粧の香が立ちこめていた。

「三次郎さん？」

女はむこう向きのまま言った。そして不意に白い腕を夜具のそとに投げ出すと、くるりとこちらを振りむいた。

「遅かったじゃない……？」

そこまで言って、女は立っているのが三次郎でないと気づいたようだった。一瞬眼をみはるようにしたが、ゆっくり腕を夜具の中にもどし、黙って伊之助を見つめた。誰かとも聞かなかった。

「高麗屋の、おかみさんですね」

伊之助は立ったまま言った。

「着る物を着て、こちらに出て来て頂きてえんですがね。驚かせて悪かったが、なに、べつに怪しい者じゃありません。ちょっとお聞き申してえことがあるだけです」

おうのは身じろぎもせず、伊之助を見ていた。うかがうようなその顔つきが、毛なみのいい猫のようにもみえた。

「寝てらしても、三次郎は来ませんぜ」

伊之助はそう言い捨てると、襖をしめて部屋の中にもどり、行燈に灯を入れておうのを待った。

五

襖《ふすま》のかげで、しばらく衣《きぬ》ずれの音がつづいたが、やがておうのが次の間から出て来た。

一分の隙《すき》もなく、きっちりと着がえていて、これがさっき、夜具の中で男を待っていた女かと疑われるほどだった。おうのは、火桶《ひおけ》のむこうに黙って坐《すわ》った。さわがれると面倒だな、と伊之助は思っていたのだが、おうのはさわぎもせず、伊之助をとがめもしなかった。悪びれた様子もなく、じっとこちらを見まもっている。

美しい女だった。底の方からにじみ出てくる、透明なひかりのようなものが、おうのの肌を覆《おお》っている。眼は少女のように澄んで、伊之助を見つめていた。伊之助は、少し気押《けお》されるような気になりながら言った。

「無粋な野郎が割りこんで来たとお腹立ちでござんしょうが、どうしてもおかみさんにお聞きしてえことがありましてね」

「どうぞ」

おうのがはじめて口をきいた。低く、落ちついた声だった。

「おようという女をおぼえておいでですかね。あっしはおようの身よりの者ですが」

「およう？」

おうのは伊之助を見つめたまま、軽く首をかしげた。そういうわずかなしぐさにも、ぞっとするような色気が匂《にお》いたつ女だった。

「通い女中で、お店に雇われていた女ですよ」

「ああ、およう」

おうのは二、三度おうようにうなずいた。

「おぼえていますよ。いい子でした。でも、だいぶ前にやめましたよ」

「いつごろです？」

「さあ、九月だったかしら。それとも十月に入ってからだったかしら」

「おとぼけになっちゃ困りますな、おかみさん」

伊之助は苦笑した。

「そういうおっしゃり方をなさるんなら、こっちもはっきり言わなくちゃなりませんよ。おようは九月十五日きりで、お店をやめたんですがね」

「九月十五日？」

おうのはかすかに眉《まゆ》をひそめた。

「そうだったかも知れませんね。そういえばたしか、そのころでしたよ」

「それで、おようをどこへやったんです？」

「え？」

「おようはそのあたりから行方知れずになって、いまだに居どころが知れないんですがね。さあ、高麗屋さんでは、おようをどこへ隠したのか、なんでそんなことをしたのか、ひとつおかみさんから、わけをお聞かせ願いましょうか」

「あの子が？　行方知れずに？」

おうのは眼をみはった。心底驚いたようにみえた。その眼をじっと睨《にら》みながら、伊之助は静かに言った。

「ご存じないとおっしゃるんで？」

「あたくしは何も聞いておりませんよ。いまはじめて聞きました」

「…………」

「なにか、あたくしどもを疑っておいでのようですけど、それはそちらさまの間違いじゃございませんかしら」

「ふむ」

「行方が知れないなんて、いったいあの子に何があったんですか。こちらこそ聞かせて頂きたいことですよ」

伊之助は腕を組んだ。何ともいえない違和感をおぼえていた。おうのの表情、口のきき方から、知ってとぼけているとは思えないものが匂って来る。そういうことは、岡っ引をやった伊之助にはよくわかるのだ。

だが、おうのは殺された由蔵に、こっそりと金を手渡していた女である。およう の行方知れずにかかわりないなどということは考えられない。それとも、こちらの見込みに、なにかひどい誤りがあるのか。

「じゃ、別のことをおたずねしますがね。おかみさんは、由蔵という男をご存じでしような？」

「由蔵というと、山鹿屋さんとこの若いひとですか」

伊之助ははっとした。突然に新田の辰の店の名が出て来たからである。由蔵はそういう名目でおうのに会っていたらしい。

「そうそ。その由蔵ですよ。おかみさん、その由蔵に金をやってましたね」

「………」

「そうでござんしょ？　おっしゃらないんなら、こちらで言うしかござんせんが、東両国の更科《さらしな》という料理屋で、おかみさんは役者の鶴之丞と時どきお会いなさる。そこに由蔵がたずねて行って、少なくない金を受け取っていたことはわかっているんだがね」

「そこまでわかっておいでなら、聞くことはないじゃありませんか」

顔をあげておうのが言った。

「あれは何の金ですか？」

「何の金って、あたくしは知りませんよ」

「そいつはいけませんな、おかみさん。わけもなしに他人に金をやるひともないじゃありませんか？　こいつははっきりと、あんたの口からお聞きしませんとね」

「でも、あたくしは、ただ旦那《だんな》さまに言われて、包んだものを手渡しただけだから」

「旦那に？」

　こいつは驚いた、と伊之助はつぶやいた。

「旦那は、おかみさんが役者に会いに行くのに、ついでだからと頼みものをするようなな、さばけた方なんですかね」

「さあ、どうでしょうか」

　とおうのは言った。そう言ったとき、おうのの顔の上を、さっと暗い影が通りすぎたような気がした。だがそれは一瞬のことで、伊之助がおやと思ったとき、おうのはもう、微《かす》かな笑いを顔にうかべていた。

「とにかくあたくしは、旦那さまに言われたとおりにしただけで、くわしいことは何も存じませんよ」

「どういうわけの金か、また中味はいくらかなんてことは聞いてないと、そうおっしゃるんですかい」

「ええ。でも、そんなことは別に珍しいことじゃありませんもの。材木屋という商売は、金を散らすことが多い商売ですから」

「それじゃ、その由蔵が殺されたことはどうですか。それはご存じでしょうが？」

「…………」

おうのは眼をみはった。驚愕《きょうがく》のいろが顔に出ている。おうのは強くかぶりを振った。

「いいえ、いいえ」

「あの男は、この前更科の離れにおかみさんをたずねた帰りに、誰かに殺されたんだ」

伊之助は、注意深くおうのの顔を眺めながら、言葉をつづけた。

「それなのにあんたは、知らないとおっしゃる。そうですか。じゃそれはそれでいいとしましょう。ところであの晩、由蔵は金をもらいに行ったわけじゃないんだ。そうですな？」

「ええ」

「やつは、何しに行ったんですかい？」

「さあ、何しに来たのかしら」

おうのは小首をかしげた。小首をかしげ、眉をひそめて、そのときのことを思い出そうとしているようだった。

「あの晩はあたくし、あのひとが来ることを聞いていなかったんです。だからびっくりしましたよ」

「ふむ、それで由蔵は何と言ってました？」

「旦那は来ているかって」

おうのはそこで、微かに頰をそめた。そのとき一緒にいた男が、亭主でなく情人だったのを思い出したのかも知れなかった。

「来ていないというと、とてもがっかりした様子でした」

「ふむ、それから？」

「大そう考えこんでいましたが、手違いがあったらしい、あばよって、それだけで帰って行ったんですよ」

「あばよ、か」

伊之助はつぶやいた。つぶやきながら伊之助は、眼の前に高麗屋次兵衛の姿が、黒い影のように立ちあらわれて来るのを感じた。岡っ引をしていたころに、高麗屋の主人だというその男を、店のあたりで二、三度見かけたことがある。三十前後の若い男だったが、姿にも顔にも、やり手の商人だという評判を裏書きするような、隙のない感じがあったことを思い出していた。

するとあの晩由蔵は、おうのではなくて旦那に会いに行ったことになる。高麗屋次兵衛に更科まで呼び出されたと見てよいだろう。そしてその帰りに殺されたということは、どういうことになる？

高麗屋だ。この男遊びが好きな女房は、今度の一件について、さほど深いことを知っているわけではないらしい。そう思いながら、伊之助は試すように言ってみた。

「由蔵ですがね。やっこさんがおようの亭主だということを知ってましたかい？」

「あら」

とおうのは言った。びっくりしたように見えた。

「そうなんですか？」

「そうですよ」

答えながら、伊之助は軽い失望感に襲われていた。これじゃネンネを相手に喋《しゃべ》っているようなものだという気がした。おようの行方知れずについては、高麗屋次兵衛とおかみは一味同体だと思っていた見込みは、どうやら違っていたらしかった。

おようをたぐり寄せようとしていた綱が、不意に張りつめた手ごたえを失って、ずるずると手もとにもどって来るのを伊之助は感じた。やり直しだ。だがこの女には、まだ聞きただすことが残っている。伊之助は気落ちを顔に出さずに言った。

「どうも、こっちにも少々思い違《ちげ》えがあったようで、いろいろとご無礼なことを聞いて気ィ悪くさせたかも知れませんが、かんべんしてくださいよ」

「……………」

「しかしおようが、さっき言ったように、お店をやめてからずっと、行方知れずになっているのは間違いのねえことでね。そこでおかみさん。あんたにもう少しおたずねしたいんだがね。よござんすか」

「どうぞ」

「おようが店をやめたころにですな。何か変わったことはありませんでしたかい。お店の方にか、おようにか、何かあったんじゃござんせんか」

おうのが答えるまで、わずかな間があったような気がした。だが伊之助が、眼のいろを探ろうとしたとき、おうのは首を振ってあっさり言った。

「いいえ、別に」

「おようは接待の係で働いていたそうですな」

「ええ」

「つまり、あんたがじかに指図して使っていた女中ということですな。その女が急に店に来なくなったのを、不思議だとは思いませんでしたかね」

「おようは通いでしたから。通いの女の子は、時どきそういうことがありますからね」

「旦那には、お話になったんで？」

「もちろんですよ。手不足になっては困るから、すぐかわりを雇ってくれるように頼みました」

「どなたか、お武家さまもいらっしゃっているようですな」

と伊之助は言った。

「さすがは大きな商売をなさっているお店ですな。いらっしゃるのはお役人さんですか」

六

高麗屋に来る武家の客のことを、伊之助はそれほど熱心に聞きただそうとしたわけではない。話はそろそろ終りだと思い、ついでといった気分で聞いたのである。

だが、それまでおっとりした口調で答えていたおうのが、そこで不意に黙りこんだのが意外だった。おうのの顔を、暗い影が覆《おお》っていた。影は今度は通りすぎずに、おうの顔にとどまっている。

「どうしなすった？」

伊之助は注意深く声をかけた。

「お役人さんじゃないんですか？」

「え？」

おうのはほんの束《つか》の間《ま》、放心していたようである。部屋の隅を見つめていた眼をゆっくり伊之助にもどした。

「何のお話でしたかしら……」

「お武家のお客さんのことをお聞きしたんですがね」

「ああ」

おうのはうなずいたが、どういう意味か、軽く首を振った。

「でも、それはおようとはかかわりのないことでしょ？」

「そうとも言えないんですがね」

「でも、お店のもてなしのことは、あまり知られたくありませんよ。商いの裏のことですから」

おうのは口ばやに言うと、不意にやわらかく身体を崩して、膳《ぜん》の上から盃《さかずき》を取り上げた。

「おひとついかがですか」

「いや、そうはしていられませんや」

伊之助は苦笑した。強引に乗りこんでは来たが、そこまであつかましい真似《まね》をするつもりはなかった。まだ聞き残したことがある気もするが、そろそろひけ時だろう。

「おじゃまさんでしたな、おかみさん。あっしはこのへんで、ごめんこうむります」

「でも……」

おうのはそっと膝《ひざ》をにじらせて、伊之助に盃をさし出した。

「せっかくのお酒が、もったいないじゃありませんか。もしおいそぎでなかったら、お相手してくださいな」

やわらかいが、どこか執拗《しつよう》な感じがする口調だった。伊之助は顔をあげて、まじまじとおうのの顔を見た。そしてぞっとした。

おうのの眼は、かすかな笑いを含んで、伊之助をじっと見つめている。口はかすかにひらき、顔がうっすらと紅潮していた。肩はまるく、横坐《よこすわ》りになった身体の線がなまめかしかった。

おうのの印象が一変していた。さっきまでの大店《おおだな》のおかみらしい、いくらか取り澄ました様子が掻《か》き消えて、おうのは一人の女、それもひどく淫蕩《いんとう》な感じがする女に変わってしまったようだった。おうのは無言のまま、全身で男に媚《こ》びていた。

――なるほど、色気違いとはこのことかね。男なら誰でもいいってわけだ。

伊之助は、三次郎の言葉を思い出しながら心の中でつぶやいたが、なぜか縛られたように立ち上がれなかった。

おうのの笑いを含んだような眼は、ねっとりした光を帯びはじめ、胸のあえぎが高まるのが、着物の上からもわかった。伊之助は、これまで出会ったことがない、美しく淫《みだ》らな女が眼の前にいるのを感じた。その妖《あや》しい美しさは、男を狂わせ、吸い寄せる。

顔を伊之助にむけたまま、おうのは盃を膳にもどし、帯締めに指をかけた。そのわずかな動きが、伊之助を正気にもどした。伊之助は、さっと立ち上がった。

「それじゃ、おかみさん」

部屋を出て、襖《ふすま》を閉めるとき、伊之助は振りむいた。おうのは奇妙な笑いをうかべたまま、襖が閉まる瞬間にも、無言で伊之助に誘いをかけていた。

――どうやら、まともじゃねえようだ。

外へ出て、大きく息を吸いこみながら、伊之助はそう思った。傷《いた》ましい気がした。

高麗屋の内儀の中に、ただの男好きでは片づけられない、ある種の狂気が棲《す》みついているのを見た、という気持は動かなかった。あの美しい女は、病人だ。

高麗屋の主人は、とっくにそのことに気づいているが、仕方なく野放しにしているのかも知れない、という気がした。女中のおふじの話では、おうのはふだんは、べつだん変わりもなく高麗屋のおかみとして、客の接待などを切り回しているらしい。ただ、時どき男遊びに出かけると、おふじは思っている。

高麗屋の主人は、世間にはそう思わせた方がいいと思っているのかも知れなかった。それならよしんば世間に洩《も》れても、女房の男遊びでごまかせるが、病人扱いにして家の中に閉じこめてしまえば、店の者にも知れ、世間にも知れわたって、商売にさわるということか、と伊之助は思った。

だがおうのの男狂いがはじまったのは、そう古いことではない。おふじは、九月ごろからだろうと言ったのである。同じ九月に、おようは行方を絶った。やはりそのころ、高麗屋で何かがあったのではないか。おようが行方知れずになり、おかみのおうのに狂気が宿るような何かが。

おうのに会ったあとでは、ますますそう思えてくるのだが、女中頭のおふじは何も知らなかったし、おうのも否定した。

――もう少し、つっこんで聞くんだったな。

聞き残したことがあるような気がしたのはそのことだ。伊之助はそう思い、ふっとうしろを振りむいた。

そのとき振りむいた眼の先に、何かが動いた。暗い道から、何かがつぃと軒先に隠れたように見えた。

伊之助は立ちどまった。ものが動いたところは、味噌《みそ》、醬油《しょうゆ》を商う店でもあるらしく、店先に片よせて、うずたかく空樽《からだる》が積んである。黒い影のようなものは、そのうしろに隠れたようだった。

伊之助は引き返すと、用心深く空樽に近寄った。あと二歩というところまで近づいたとき、不意に頭の上から空樽が落ちかかって来た。そしてそのうしろから、黒い人影が、背をまるめて伊之助に突きかかって来た。

にぶく光る匕首《あいくち》の光を、伊之助は辛うじてよけた。だがひと息つくひまもなかった。男は踏みこみ、踏みこみ匕首を突きかけてくる。腰が据《すわ》り、男の身体はすばらしい跳躍力を秘めている。

伊之助は、切先《きっさき》をかわすのが精一杯だった。男の動きは巧妙で、伊之助を狭い路地の入口の方に追いつめようとしていた。

だが反撃の機会がおとずれた。伊之助は、踏みこんだ男が、夜露をふくんだ草にわずかに足をすべらせたのをみると、とっさに足をとばして男の手首を蹴《け》った。

伊之助が、浅草の彫安に奉公していたころ、誓願寺境内の御堂《みどう》を借りて、中年の浪人者が寄食していた。浪人はよほどひまをもてあましていたらしく、近所の若い者を集めて、時どき体術を教えた。

伊之助も誘われて行ったが、制剛流のやわらにすぐれていた中鉢伊織というその浪人は、伊之助に見どころがあると見たらしく、ある時期からみっちり稽古《けいこ》をつけるようになった。

中鉢が寝起きしている御堂の縁に行燈《あんどん》を持ち出し、その光の中でやる稽古だったが、伊之助はめきめき上達した。三年ほど経《た》って、中鉢が寺を去るときには、伊之助はかなりの腕前になっていた。

伊之助が習った体術は、やわらと、手足を武器にする拳法《けんぽう》を組みあわせたようなものだった。伊之助が岡っ引になったのは、体術が身についたことと無縁でなかったかも知れない。

だが稽古はそのとき限りだった。岡っ引になったからといって、とくに身についた体術を使うというような出来事も起きず、伊之助は次第に何年か前にそういう稽古を積んだことも忘れた。

だがいま匕首を持った男の攻撃にさらされてみると、思わず手足に習いおぼえた動きがよみがえるようだった。

伊之助の爪先《つまさき》は、匕首を持った男の手首に喰いこんだ。男はうしろに飛びさがった。匕首を落としはしなかったが、痛そうに左手でかばったのが見えた。伊之助が前にすむと、男はまた猛然と反撃してきた。だが突き出す匕首にさっきまでの勢いがなかった。

伊之助は匕首をかわすと、身体を入れかえるようにすれ違いざま、男の首に手刀《てがたな》を打った。男の身体が突きとばされたように、転んだ。そしてすばやくはね起きると、あっという間に闇《やみ》の中に走り去った。

伊之助は、しばらく男が走り去った方角を睨《にら》んだが、追うことはあきらめて、身づくろいすると歩き出した。腕や胸のあたりがひりひりと痛むのは、かわしたと思っても、やはりあちこちと匕首にかすられたらしかった。

――あぶないところだった。

伊之助は大きく息をついた。あのときうしろを振りむかなかったら、男に背を刺されていたかも知れないという気がした。

むろん行きずりの盗賊や何かであるわけはない。いまのが由蔵を刺した男だと思っていた。軽くすばやい身ごなしに、見おぼえがあった。おそらく、三次郎を脅したのも同じ人間だろう。その男が、今夜は眼の前に姿をあらわしたのだ。なぜ狙《ねら》われたかはわかっている。高麗屋のおかみ、おうのに近づいたからだ。

――野放しというわけじゃないらしい。

伊之助は男の背後に、はっきりと高麗屋次兵衛の姿を感じながら、そう思った。女房の男遊びを、野放図に許しているように見えながら、そのじつ高麗屋は、さっきの男をぴったりとおうのの陰につきそわせて、おうのの身辺に寄ってくる男たちを監視させているらしかった。

男たちの監視と、おうのを守ることが、さっきの男の役目なのだろう。そして男は、おうのとつき合いのある男たちが、ただの遊び相手である限りは、ひっそりと陰にうずくまって監視しているだけだが、一たん高麗屋の内側に踏みこむ気配をみせると、容赦なく凶手をふるうらしい。

由蔵が殺されたのもそのためだし、三次郎が脅され、かなりひどい目にあったらしいことも、おうのの素性を突きとめようと、色気を出したからだ。それにしても今夜、おれが三次郎といれかわることを、高麗屋やさっきの男はどこで知ったのか、と伊之助は思った。無気味な気がした。

家にもどって、行燈をともしてみて、伊之助ははじめて自分がひどい恰好《かっこう》になっているのを知った。襟《えり》に二カ所、左右の袖《そで》に三カ所、そして着物をぬいでみると、背にも一カ所匕首で切り裂かれたあとがあった。ぼろぼろになっていた。

傷はかすり傷だった。伊之助は台所に行ってかまどに火を燃やした。そして裸になると、買い置きの酒で傷をふき、念のためにあとに軟膏《なんこう》をぬりこんだ。

そしてそのまま上から丹前をはおって、火に身体をあぶりながら、高麗屋のことを考えた。由蔵を殺させたのは高麗屋の指図だろう。そしておようの行方を知っているのも、高麗屋だと思われた。

だが推測だけだった。証拠は何もない。

──どこから喰いついたものかな。

伊之助はかまどの中の火を見つめながら、じっと考えこんだ。

遠い記憶

一

伊之助は、彫藤の仕事場を出ると、少し迷った末に門前仲町にむかった。今夜は、八丁堀の半沢清次郎の家をたずねるつもりなのだが、半沢はまだもどっていないだろう。その前に、門前仲町をひと回りして行こうと思ったのである。

しかし伊之助の足をそちらにむけたのは、やはり心の中にある焦《あせ》りだった。弥八の頼みを引きうけてから、およそひと月半。その間あちこちと嗅《か》ぎまわって、いくらかわかりかけたことはあるが、おようの行方はといえば、依然として霧に包まれたままだった。そして季節は年の瀬にかかろうとしていた。

――年が暮れる。

そう思うと、伊之助は自分の非力を鞭打《むちう》たれる気がするのだ。

伊之助は数日前、弥八に会った。そしていまの様子を隠さずに話し、手間どっていることを詫《わ》びたが、弥八は伊之助を責めなかった。

「なあに、一度はあきらめた娘だ。せくことはいらねえよ。気長に探してくんな」

と言って、弥八は伊之助をいたわるような笑顔を見せた。だがその弥八は、あれからわずかの間に、急に老《ふ》けこんだように見えたのだ。

伊之助は、西念寺横町の奥にある町に、足をむけずにいられない。その町に、おようがまだいるのか、それとももうほかの町、そこにも肉をひさぐ女たちがひしめいているような町に移されてしまったのか。いまはそれさえもわからなかった。

およう は、誰も探し出せない迷路に入って行ってしまったように思える。だが少なくとも、迷路の入口が、その町だということはわかっていた。

伊之助は、黒江町の方から、その町に入って行った。年の瀬の寒い夜にも、その町には、きらびやかに過ぎるほど、軒の灯がまたたき、その下を、仕事帰りらしい男たちが、一夜の歓楽をもとめて歩いていた。

寒そうに、胸もとに袖《そで》を抱いた女たちが、軒先から男たちに誘いの声をかけている。女たちの声には張りがあり、淫《みだ》らで誘惑に満ちていた。町はいま、歓楽のふたをあけたばかりのようだった。

伊之助は、灯の下に浮かんでいる女たちの白い顔に、それとなく眼を走らせながら、町の奥に踏みこんで行った。そして軒先の行燈《あんどん》に死んだ亀《かめ》をつるしてある、いくらか陰気な感じがする店の横に出た。その店で、西念寺横町の男の子が、おようと思われる女を見たのだ。

店の戸が、不意に内側から乱暴にあいた。伊之助はあわてて店の角に隠れたが、次にのぞき見た光景に、思わず息を呑《の》んだ。

夜目《よめ》にも凶悪な顔をした男二人に、手とり足とりつまみ出されて来たのは弥八だった。手足をばたつかせながら、弥八がわめいている。

「親爺《おやじ》に会わせろ。娘がここにいることはわかってるんだぞ、てめえら」

伊之助はひやりとした。出来ればとび出して行って、弥八の口をふさいでやりたかった。

そんなことをわめいたところで通じる相手でもないし、第一おようのためにならないのだ。おようは町の人ごみの中からかどわかされて来たわけではない。裏には高麗屋がからんでいる。この店におようがいると、目をつけたものがいると知れば、おようはそのまま、闇《やみ》から闇へ消されかねないのだ。

そのことは前にも念を押したし、岡っ引だった弥八はわかっていたはずなのに、と伊之助は弥八の軽率さに、手に汗をにぎる思いだった。

だが、弥八の口は男たちがふさいだ。男二人は、手を振りもぎって店の中に突進しようとする弥八を、うしろからつかまえると、軽がると地面に投げ落とした。そして容赦なく足で蹴《け》った。弥八は何度か立ち上がろうとしたが、そのたびに蹴られて毬《まり》のように地面に転がった。

男たちの無言の足蹴りには、手加減しない力がこめられていた。弥八はそれでもしばらくは地面を這《は》いまわったが、ついにぐったりと地面にのびてしまった。その背に、男たちは念を押すように、まだ足蹴りをとばしている。

その様子を、向いの店の軒先から、呼び込みの女が見ていた。だが女は黙って見ているだけだった。伊之助も、手が出せなかった。

そして手を出さないでよかったのである。道の向うから、別の三人連れの男が、足ばやに近づいて来た。そして弥八を見おろしている男二人のそばに来ると、どうしたと声をかけた。

「変なじじいがとび込んで来やしてね」

店の男はだみ声で答え、やって来た男の一人に顔をよせて、何かささやいた。ささやかれた男は黙ってうなずくと、改めて倒れている弥八を見おろした。

「殺したんじゃあるめえな」

「まさか」

「まさかじゃねえや。年寄には手加減するもんだぜ。殴りゃいいってもんじゃねえ」

「…………」

「あんたら、見さかいがねえからな」

男は小言を言い、地面に膝《ひざ》を折って、弥八の顔をのぞき、胸に手をさしこんだ。そして顔をあげると、死んじゃいねえようだと言った。

その顔を見て、伊之助はどきりとした。軒行燈の光に照らされて、男の顔がまともに見えた。その男は、三好町《みよしちょう》にある新田の辰の家に行ったとき、玄関で出迎えた若い男に違いなかった。

倒れている弥八をそのままにして、男たちが姿を消すと、伊之助はそっと後ずさって、暗い小路にまぎれこんだ。

——そうか。このあたりはいま、辰の縄張りになっているのか。

伊之助が岡っ引をしていたころ、この町を支配していたのは、御家政《ごけまさ》と呼ばれる男だった。御家人《ごけにん》崩《くず》れだと言われ、人に顔を見せることがないという噂《うわさ》のあるその男が、長い間この町の、夜の元締めだったのだ。

だがさっきの様子をみると、いまこの町を支配しているのは、新田の辰のようでもあった。それとも辰は御家政から、取締りを請負っているのか。

——うっかりしてたようだぜ。

ぐるりと町を回って、さっきの店のところに出ようと、足をいそがせながら伊之助は思った。

高麗屋のおかみおうのは、由蔵《よしぞう》を山鹿屋の、つまり新田の辰の店の若い者だと思っていたのだ。そう言ったおうのの口調に、奇妙な親しみがあったのを伊之助は思い出していた。

伊之助はそのとき、同じ木場《きば》の同業だからつき合いはあるはずだと思ったのだが、この町を取締っているのが新田の辰だとすると、高麗屋と新田の辰のつき合いは、表の商売だけのものじゃなさそうだという気がして来るのである。

そしてもともと、新田の辰にとって、材木商山鹿屋という商売は、世間むけの仮面にすぎないのだ。

——おようは、高麗屋の手から新田の辰に渡されたか。

つまり新田の辰が、およう の始末を引きうけたのか。そう考えると、おようがこの町にいるわけがすんなり納得出来るようだった。辰をつついてみる必要がある。

——じじい、とぼけやがって。

伊之助は、新田の辰の、皮膚がたるんだ大きな身体《からだ》を思い出しながら、舌打ちした。

だが、下手《へた》なつつき方は出来ないこともわかっていた。辰がもし、御家政にとってかわったのだとしたら、あの、指に剛毛が生えている大きな手が握っている力は、尋常のものではないのだ。もと岡っ引ぐらいが、まともに立ちむかって、埒《らち》あくような相手ではない。

もとの場所にもどると、弥八がもがきながら立ち上がろうとしているところだった。その姿はみじめで、もと岡っ引の面影はなく、娘の行方を探して取り乱している一人の愚かな父親にしか見えなかった。

通りすぎる男たちが、もがいている弥八を気味悪そうによけて行った。この町では、ひとの揉《も》めごとには手出ししないのが、不文律になっているのだ。誰も弥八に手を貸さなかった。

伊之助は、弥八に近づくと、わざと陽気な声をかけた。

「どうしたい、じいさん。酔っぱらって立てねえか」

伊之助は弥八の腋《わき》の下に肩を入れて立たせた。弥八の身体から、血と酒の香が匂《にお》った。弥八は店で飲んだらしかった。

「ほらよ、しっかりしねえかい」

伊之助は大きな声で言い、あたりに眼をくばりながら、伊之助だ、だいじょうぶかとささやいた。

弥八は助け起こされて、ようやく立ち上がった。そして、なに大したことはねえよ、とささやき返したが、伊之助が手を離すと、心もとなくよろめいた。伊之助はあわてて支えた。

「送って行きてえが、ここじゃそうも行かねえようだな」

「ひとりで帰れるさ。どこで誰が見ているか知れねえ。おれにはかまうな」

と弥八はささやいた。ようやく弥八にも、もと岡っ引の分別がもどって来たようだった。ここがどういう町か、弥八には伊之助よりもよくわかっているのだ。

じゃ、用心して帰ってくれ、おれはここにもうちょっと用があると言うと、弥八はうなずいて、しわがれた声で言った。

「ありがとうよ、若い衆。手間をとらせてすまなかったよ」

「なあに。気をつけて行きな」

あばよ、と伊之助は言った。足をひきずりながら、のろのろと遠ざかって行く弥八を見送ってから、伊之助はさっきの店に向き直った。

そのとき、一軒置いた隣の軒先に、黒い人影が立っていて、じっとこちらを見ているのが眼に入ったが、伊之助は気づかないふりをして店の戸をあけた。

店の中には十人近い客がいた。その間を、女たちが酒や肴《さかな》を配って歩きまわり、酔った客に抱きつかれてちょっと腰をおろし、酌をしてやったりしている。

伊之助は隅の樽《たる》に腰かけると、女たちの顔を確かめた。おようがいるとは思わなかったが、やはりそうしないでいられなかった。おようはいなかったが、前にこの店に来たとき酌についた、お玉という女がいた。

瘦《や》せて、くぼんだ眼をしているお玉は、大柄な商人ふうの男に、しなだれかかるようにして酌をしている。男の方がうるさがっているようにみえた。

「お玉さんを呼んでくれねえか」

酒を運んできた若い娘に、伊之助はそう言った。まだ十六、七にみえる小柄で肥《ふと》った酌婦は、あら、お安くないのねと言った。

「姐《ねえ》さんのお馴染《なじみ》さんなの」

「馴染ってほどでもねえが」

伊之助は苦笑した。そして手酌で酒をつぎながら、女がお玉のそばに行って話しかけるのをじっと見まもった。

お玉は、肌の白い大きな男から身体を離し、のび上がるようにしてこちらを見た。そして立ち上がると、飯台の間を縫ってふらふらとやって来た。

「あんた、誰だっけ?」

とお玉は言った。だいぶ酔っているらしく、お玉はそう言って伊之助の顔をのぞきこみながら、ゆらゆらと身体をゆすった。

二

「誰と名乗るほどのもんじゃねえよ」

「あらま、気どっちゃって」

女は酔った眼をじっと伊之助に据えた。

「でも、あたいを知ってるから、呼んだんだろ」

「うん、前に一度来ている」

伊之助はお玉に盃《さかずき》を持たせて、酒をついだ。

「そんときに、お前さんにお酌してもらったんだ。あれからもうひと月半にもなるな。また来るって言ったんだが、ちょいと仕事が混《こ》んで来られなかった」

「そんな前じゃ、おぼえてられないよ」

とお玉は言った。眼窩《がんか》がくぼんだ、俗にいう金壺《かなつぼ》まなこだが、お玉の眼は細く、かえって奇妙な色気がある。その眼を伊之助にそそぎながら、お玉は口のあたりにかすかな笑いをうかべた。

「そんとき、あんたと寝たかしら」

「いや、飲んだだけで帰ったよ。先約があるとかで、振られたんだ」

「今夜はどうする？　泊る？」

「寝る相談をするには、ちと時刻が早かろうぜ」

「そんなら、二、三軒まわって、あとでまたおいでよ。あたい、あんたが気に入った」

お玉は、伊之助に酌をしながら、急にしなだれかかって来た。

伊之助が受けとめると、お玉はいっそう身体を寄せて、胸を押しつけるようにした。痩《や》せてみえるのに、胸のあたりの手ざわりは豊かな女だった。

お玉はどうやら、さっきまでへばりついていた、色白の大柄な男は脈がないとみて、伊之助に鞍替《くらが》えする気になったようでもある。

「さっき店の前で、へんなじじいを見たぜ」

と伊之助は言った。

「こっから外に連れ出されて、若い衆に殴られていたが、じいさん、何をしたんだね」

「見たの？」

「ああ、見た」

「はじめはおとなしく、隅の方で飲んでたんだよ、あのじいさま」

お玉はほつれ毛をかき上げて、盃を口に運んだ。

「ところが急にどなり出してさ。板場にいるここの旦那《だんな》に喰ってかかって、そりゃすごかったんだから」

「肴《さかな》がまずいとでも言ったかね」

「そうじゃないよ。娘を返せっていうわけ」

「娘？」

伊之助は、空になったお玉の盃に酒をついだ。胸の動悸《どうき》が高まるのを感じた。お玉が話に乗って来ている。

「じいさんの娘が、ここで働いているのかい？」

「うん、前はね」

「………」

「よくは知らないよ。でも、一度店から逃げ出そうとして、よそに移された子がいるんだよ。じいさんが言ってたのはその子らしいわ」

「どうしてわかる？」

「名前がさ。その子、店じゃおはるって言ってたけど、ほんとの名はおようと言うんだよね。あたしら、そのことを知ってたから、じいさんがおようを返せと言ったとき、あたいはすぐに、ああ、あの子かと思ったんだ」

「……………」

「みんな事情があるからね。男にだまされたり、親に売られたりして、この町に来てさ。働いているわけ。あたいだって亭主にだまされたようなものなんだ。調子のいいことを言われてさ」

お玉は自分の身の上話をはじめた。伊之助は新しい酒を注文して、お玉についでやり、時どき相槌《あいづち》を打ったが、耳はお玉の話を聞いていなかった。

——おようは、ここからどこに移されたのだ？

その移された先を、この女は知っているのかと思いながら、よく動くお玉の薄い唇を見つめた。

「この町に来たが最後、逃げられっこないんだから、もう。木戸にはちゃんと手配がしてあるし、誰かが必ずどこかで見張っているというこわい町だからね」

「そうかね？　そんなふうには見えねえが」

「こんなこと、大きな声じゃ言えないよ。でも、ほんとはそうなんだから。あたいも、そうと気づくまで一年かかった。でもさ、このごろはもう、面白おかしく暮らすしかないと思ってんのさ」

　お玉は紅《あか》い唇をあけて、けらけらと笑い、男のような手つきで、ぐいと盃をあおった。

「こうして酒飲んで、唱《うた》って。あんた、なんか唱おうか」

「すると、さっきのじいさんの娘は、もうこの店にはいないんだ、かわいそうに」

「どっかに連れてかれちゃったんだよ。真夜中にだよ。そりゃもう、こわがって泣いてさ。あたしらその泣き声で眼がさめたんだけど、だあれも出てかなかった。それがここのしきたりだからね」

　伊之助は耳を澄ませた。泣き声とも、助けを呼ぶ声とも知れないおようの声が、耳にとどいた気がしたのである。だがそれは一瞬のことだった。伊之助の耳は、すぐに店の中の喧騒《けんそう》に満たされた。

「かわいそうにな」

　と伊之助は言い、うつむいて手酌で酒をついだ。

「それで、いまその子はどこにいるんだい？」

「…………」

「この町の中かね。それとも、ほかの町に移されちまったか」

すっと、お玉が身をひいたのがわかった。伊之助はひやりとしたが、気づかないふりでもう一杯手酌であけ、ゆっくりお玉を見た。お玉は細い眼で、じっと伊之助を見つめていた。

「どうしたい？」

「あんた、どうしてそんなこと聞くのさ」

「どうしてってこともねえが」

伊之助はにが笑いしてお玉に盃をさしたが、その手をお玉ははらいのけた。

「なんか気を悪くさせたらしいな。おれはただ、さっきのつづきを話してたつもりだが」

「ここじゃ、そういう話をしちゃいけないんだ」

お玉は立ち上がった。よろめいたが、すぐに身体をたて直すと、まるで素面《しらふ》の人間のような声で言った。

「どうやら、あたいがしゃべり過ぎたらしいよ」

「何のことかわからねえな」

と伊之助は言って、懐《ふところ》から財布を出した。

「勘定してくんな。ひと回りして、またくらあ」

だがお玉は、もう一度来いとは言わなかった。黙って金を受け取ると、板場に行った。そこで奥に首を突っこむようにして、板場の中の男たちと何か話している。

伊之助は銚子《ちょうし》を傾けて、残っている酒を盃にあけた。だが飲まなかった。飲むまねをして、盃を下に置くと、土間に酒をこぼした。男たちが板場を出て来るようだと、酔ってはいられないのだ。

だが、眼の隅に、板場から首を出してこちらをのぞいた男の顔が、ちらと動いただけだった。お玉はひとりで戻って来た。

「ひと回りして、また来てもいいかね」

釣り銭を受け取りながら、伊之助が言うとお玉はにっと笑った。

「四ツ（午後十時）過ぎには身体があくからさ。そのころに来て。へんなこと言ってごめんね。あたい、あんたが気に入ったよ」

伊之助は手を振って、お玉と別れた。そしてしばらく歩いた左手に、暗い路地を見つけてとびこむと、走り出した。

しかし、それでも遅かったようである。伊之助は路地に走りこむと間もなく、背後に乱れた足音を聞いた。足音は二、三人のように聞こえた。やはりお玉という女は、板場の男たちに、伊之助をうさんくさい人間だと言いつけていたのである。

伊之助はしばらく走ってから、道脇《みちわき》の一軒の軒下に、炭俵のようなものが立てかけてあるのを見ると、その陰に走りこんで小さく身をひそめた。

後を追って来た男たちは二人だった。荒あらしい足音をのこして、眼の前を駆け過ぎて行った。男たちの気配が消えてから、伊之助はそっと軒下を出た。そして足音をしのばせて、男たちが走り去った方角に歩いた。

暗い路地を選んで、伊之助は少しずつ危険な町から遠ざかった。やがて、歩いている路地のむこうに、灯明かりがにじんでいる通りが見えて来た。その道へ出て、木戸を抜ければ黒江町だった。

あと十歩で、灯のある表通りという場所まで行ったとき、伊之助はぎょっとして足をとめた。路地の出口に、男二人が立っている。

一人は大男で、一人は小柄で痩せている。表通りの明かりに浮き上がった黒い姿は、さっき眼の前を駆け過ぎた男たちに間違いなかった。

道脇の高い生垣に身体をよせて、伊之助は動かない二つの影を見つめた。だがすぐに決心がついた。追って来たのが、この二人だけだという保証はない。引き返すのは危険だった。

生垣から離れると、伊之助は足音を消して、二人に近づいて行った。そして声をかけた。

「どうだ？　見つかったかね」

二人はぎょっとしたように振りむいた。そして振りむくと同時に、小男の方が身体をぶつけるようにして突きかかって来た。夜目《よめ》にも光る白い匕首《あいくち》。男の動きには、有無を言わせぬ凶暴さが秘められている。

だが声をかけたとき、伊之助も身構えていた。伊之助の右足が飛んで、匕首を蹴《け》り落とした。そして男の勢いを掬《すく》い取るように、襟と腕をつかむと、伊之助は身体を沈めて投げを打った。小男の身体は、伊之助の肩越しに空《くう》を舞って地面に落ちると動かなくなった。

だがひと息つくひまもなかった。背後から大男が襲いかかって来た。大男は凶器も持たず、動きは緩慢だったが、すさまじい膂力《りよりよく》の持ち主だった。伊之助を抱きすくめるように背後から押さえこむと、片腕をぐいと首に回して来た。

あごを引いて、男の腕が喉《のど》に喰いこむのを防ぎながら、伊之助は腕を振りほどこうとしたが、男の腕はびくとも動かず、万力《まんりき》のような力で首を締めあげてくる。身をよじって投げを打ったが、男の身体は小ゆるぎもしなかった。

伊之助の身体は次第に浮き上がり、ほとんど爪先立《つまさきだ》ちになった。眼に血があつまり、意識が薄れて行くのを感じながら、伊之助は男の脇腹に、渾身《こんしん》の肱打《ひじう》ちを入れた。

男がうっと呻《うめ》いた。腕の力はゆるまなかったが、男が前かがみになったので足が地面についた。伊之助は抱えられたまま、二度、三度と、強烈な肱打ちを入れた。

男が獣《けもの》のように咆《ほ》えて、伊之助を放した。二人は身構えてにらみ合った。そしてどちらからともなく腕をのばして組み合った。伊之助より頭ひとつは高い男だった。だが伊之助の体術が、男の力を上回った。伊之助が打った腰車《こしぐるま》に乗って、大男は空を一回転すると、地ひびきを立てて地面に落ちた。

だが男は打った頭をなでながら、のっそりと起き上がろうとしていた。その首筋に、伊之助は手刀《てがたな》を叩《たた》きこんだ。それで、起き上がろうとした男の膝《ひざ》が、がくりと折れた。男はなおも伊之助をつかまえようと手をのばしたが、伊之助がもう一度後首に手刀を使うと、男の身体は、ゆっくりと傾いて倒れて行った。

三

八丁堀の同心半沢清次郎の家に着いて訪《おとな》いをいれると、妻女の俊江《としえ》が出迎えた。俊江は、五年の間半沢の下で岡っ引をした伊之助をおぼえていたが、茶の間の明かりにうかぶ伊之助の姿を確かめるように見ながら、眉《まゆ》をひそめた。

「どうなさいました？　その血は」

「え？」

「額から血が出ていますよ」

「あ、これ」

伊之助は、腰の手拭《てぬぐ》いを取って、額をぬぐった。手拭いに血がついたが、大した量ではなかった。さっき、男二人と暗い路地で争ったときに、額を切ったらしかった。

「来る途中で、酔っぱらいにからまれやしてね。そのときに切ったらしゅうござんすな。なに、大した傷じゃござんせんです」

「それならようございますけど。ま、お上がりなさいまし、めずらしく今夜は居りますから」

俊江は伊之助を茶の間に上げ、奥に入った。そしてすぐに引返して来ると、あちらに来てくれと言っておりますよ、と言った。

伊之助は茶の間を出て、縁側伝いに奥の部屋に行った。半沢は読書家で、わずかでもひまがあると奥の書見部屋にこもる。岡っ引をしたころ、伊之助は大ていの用事はその部屋で済ましたので、勝手を知っていた。

襖《ふすま》の外で声をかけると、中から半沢がはいれと言った。

「どうしたい？　何かあったか」

半沢は読んでいた書物を閉じて、机の前から振りむくと、すぐにそう言った。半沢の眼は、坐《すわ》った伊之助を注意深く眺め回している。

「へい。ちょっと例の町に行ったら、怪しげな連中に追いかけられたもんで」

「苦労してるようだな」

半沢はにやりと笑った。

「それでどうなんだい？　おようの方は手がかりがつかめたかね」

伊之助は、この前半沢に会ってから、これまで調べたことを、洗いざらい話した。

半沢は黙って聞いている。

「こういうわけで、あとは高麗屋に会ってみなきゃ、どうにもならねえというとこに来たんですがね」

「新田の辰は、どうだい？」

と半沢は言った。

「話の様子じゃ、おようを隠したのは、高麗屋にちげえねえようだが、その仕事を請負ったのは辰のようでもあるな」

「しかし、旦那《だんな》もご存じのように、辰はちょっとついたぐらいで吐くようなタマじゃござんせんぜ。よっぽど動かねえ証拠でもつきつければべつでしょうが」

「動かぬ証拠か」

半沢が顎《あご》を撫《な》でたとき、妻女の俊江が部屋に入って来た。運んで来たのは甘酒だった。伊之助は膝《ひざ》をそろえて恐縮したが、その様子をみて半沢が笑った。

「女房の手作りだが、これが出来がよくねえのだ。おれも飲まん、子供も喜ばんものだから、お前さんが来たのをもっけの幸いに出して来たらしいや。恐れ入るには及ばねえぜ」

「あんなことおっしゃって」

俊江は半沢を軽くにらんでから、伊之助に笑いかけた。

「そんなことは嘘《うそ》ですよ。おいしいものですから、ご心配なく召しあがれ」

俊江が出て行くと、半沢はもう一度、動かぬ証拠かと言って顎を掻《か》いた。

「そいつは骨だの。高麗屋は、どうしてしたたかな男だ。会っても証拠になるようなことは、なかなか言うめえぜ」

「こうなると、由蔵を殺《や》られたのが痛《いと》うがすな。あいつは確かな証拠をにぎって、高麗屋を脅していたんですぜ」

「そうかも知れねえが、死人はものを言わん」

「やっぱり、あっしは一度会ってみますよ、旦那」

「高麗屋にか」

「へえ。会って、そのときの勝負で何か聞き出せねえもんでもねえと思いやしてね」

「ふむ」

「じつは今晩、旦那をおたずねしたのは、高麗屋に会う何かうまい手づるはないものかと、お知恵を借りに来たんでござんすが」

「そんなことなら、わけはねえよ」

と半沢は言った。

「臨時の手札を出すから、正面から店に入って行きな。お上の御用となりゃ、高麗屋も会わねえわけにゃいかねえよ」

「………」

「ん？　何だい、そのつらは」

「手札はどうも」

「そうか、そう言ってたな」

半沢は苦笑した。

「その方が苦労が少なかろうに、お前さんも堅苦しい男だな。お上の御用でなく、自分でやりてえわけだ」

「相済みません」

「ま、それはいいよ。じゃ、いい男を引きあわせよう。帳付けをしている清作という男がいる」

半沢は、高麗屋の帳付け、清作の姿かたちを的確に口で描いてみせた。

「おれもながれ星のかかわりあいがあるから、高麗屋からは眼が離せねえ。それで清作を抱っこんであるんだ。その男に会ってみな。おれの名を言えば、うまくはからってくれるかも知れねえ」

「ありがとうござんす、旦那」

伊之助は頭を下げた。話が一段落した感じで、二人はしばらく黙って甘酒をすすった。半沢はさっきあんなことを言ったが、うまい甘酒だった。

「ところで、旦那の方のお調べは、いかがですかい？」

「盗っとか。これが遅々としてすすまん」

半沢は、甘酒はあまり好きでないらしく、飲み残して盆に返した。だがすすんでいないと言いながら、半沢の表情は、暗くはなかった。

「ま、少し見当はついて来たがな」

「と、言うと素性が割れるか、住居が見つかりでもしましたんで……」

「まだ、そこまではいってねえよ」

　半沢は手を振った。

「高麗屋が、これまで何度かながれ星という盗っとに入られていたことは、浅吉がお前さんに話したそうだな」

「へえ。この前入られたのが、じつは四度目だそうで」

「そうよ。半年の間に四度だ。というよりも、七月末から十二月初めまでの間だから、正味は四月《よつき》あまりの間のことだ。どうだ？　おかしいだろう？」

「へえ、まったく」

「こいつは、誰が考えてもおかしいや。これじゃ高麗屋は、ながれ星の上とくいといったあんばいだ。こんなに、せっせせっせと、一軒の家に入る盗っとなんてえのは、めったにあるもんじゃない」

「…………」

「しかもだ。高麗屋は、四度目になってやっととどけて出た。それもしぶしぶといった恰好《かっこう》でな。こいつは妙な話だぜ」

「ただの泥棒とは、違うんじゃございませんか」

と伊之助は言った。

「ながれ星という盗っとは、何か高麗屋の弱みを握っていて、高麗屋では、入られたことをとどけたくなかったというような……」

「ま、そんなふうなことかも知れねえが、おれはこう考えた。ながれ星が、そうたびたび高麗屋に入ったのは、金が目あてじゃなくて、ほかに欲しいもんがあるんじゃねえか、とな」

「……………」

「おれはつかめえる方で、泥棒をやったことはねえが、ま、押しこむ奴にしてみりゃ、こりゃあやっぱり、命がけのものだろうぜ。調べてみると高麗屋は、去年の七月、泥棒に入られたあとすぐに、木場の店から屈強の男を四、五人呼んで、ちゃんと夜の張り番をさせているんだ」

「さいですか。ちゃんど用心してたんですな」

「そうよ。見つかればながれ星といえども命がねえ。それをだ。連中の眼をかすめて、二度、三度と同じ家に忍びこむというのは、なにも高麗屋が気に入ったからというわけじゃあるめえ。恐らくながれ星は、ぜひとも欲しいものがあって、その欲しいものを、まだ手に入れてねえのだ」

「………」

「高麗屋も、盗っとの狙《ねら》いが何か、すぐに気づいたのさ。その何かは、お前さんがさっき言った高麗屋の弱みにつながるものかも知れねえ。何しろあまり公《おおやけ》にはしたくねえたちのものだということは、見当がつく。だから、すぐにはとどけて出なかったのだ」

「そう考えると、いろいろと辻《つじ》つまが合いますな」

「さあ、そこだ。伊之。それじゃながれ星の欲しがっているものは、何だと思うね」

「それが手に入れれば、高麗屋から大金を巻き上げられるようなもんですかな」

「それもある。もうひとつは、それが公になると、高麗屋の身上がひっくり返るようなものか、見当はそんなとこだな」

「すると、何かの書きつけですか、旦那」

「そんなものだろう」

と半沢は言った。

「あるいは何かの証拠の品といったもんかも知れねえ。何の証拠かというと、それが世に知れると、高麗屋が困るような事実の証拠だよ」

半沢は、盆の上から、もう冷たくなった甘酒を取り上げて、ゆっくり飲んだ。そして空になった椀《わん》を手のひらの中で回しながら、話をつづけた。

「おれは浅吉や茂平を使って、高麗屋のことを調べてみた。高麗屋は、ここ七、八年の間に、人も驚くほどに大きくなった店だ。こういう奴は、何かよっぽどの運に恵まれでもしねえかぎり、大ていは無理なことをやってるもんだよ」

「…………」

「で、調べてみると驚いたね。高麗屋が木場に店を持ったのはたった十年ほど前のことだ。小せえ店だったらしい。そしてその前の素性が、さっぱりわからねえのだ。そういう男だ。それがいまみてえなでかい店を張り、お上の御用まで受けるようになるには、ただ身を粉にして働いたということじゃあるめえよ、とおれは浅吉に言ったのだ」

「悪事がからんでいるというお見込みですかい？」

「ま、そんな匂《にお》いがするということだが、やり手だから、御法に触れるようなことはしてねえかも知れない。しかし、無理をしたとなれば、どっかにその痕《あと》が残っているはずだ」

「…………」

「お前さんが岡っ引をしていたころは、ちょうど高麗屋がのし上がって来たころだが、そのころに、深川だけで同業のでかいところが三軒もつぶれたことを知ってたかな」

「さあ、はっきりとはおぼえてませんが」

伊之助はあいまいな顔になった。

「言われれば、そんなこともあったようでござんすな」

「おれはいま、つぶれた材木屋の人間の行方を追ってる」

と半沢は少し小声になって言った。

「というのは、だ。ながれ星がしつこく高麗屋を狙っているのは、金欲からじゃなくて、怨《うら》みからじゃねえかとおれは疑っているのだ」

四

「するてえと、三軒の材木屋がつぶれたのには、高麗屋がからんでいて、ながれ星という盗っとはまた、その材木屋にかかわりがあるんじゃないかと、そんなお見込みですかい」

「まあな」

半沢は部屋の隅に行って、手文庫を開くと、半紙を閉じた帳面を持って来て、伊之助に渡した。

「冬木町の遠州屋、伊勢崎《いせざき》町の秩父屋《ちちぶや》、西永町の三浦屋。いずれも木場に大きな店を張って鳴らした材木屋だ。ことに遠州屋、秩父屋はお上の御用を請負っていた。この三軒が、見ねえ」

半沢は指をのばして、帳面をつついた。

「一年に一軒ずつつぶれている。遠州屋は、お上の御用を停められてから、急におかしくなって、そのあとは一年ともたなかった。三浦屋は番頭が使い込みを出して、主人が気づいたときには金箱が空っぽになっていた。それで突然につぶれた。その番頭だが……」

半沢は伊之助をじっと見つめた。

「金と一緒に姿を消して、いまだに行方が知れねえのだ」

「使い込んだ金というのは、どのぐれえのもんですか」

「二千両さ。そいつはおれが調べたのだから知っている。ちびちびと何度かに分けて持ち出したらしかったな。三浦屋はそれでひっくり返った。商いが大きいほど動かす金も大きいからな。他人さまの金で商売しているようなものだ。だが、その二千両は、店にある金だと思っていたはずだから、三浦屋はびっくりしたろうさ」

「秩父屋は、何でつぶれたんですかい？」

「お上の御用でドジを踏んだのだな。相模《さがみ》にある大きな寺を修理する時に、材木の納めを請負ったが、その材木が期日にとどかず、工事が大延びに延びた。それでお出入りを停められてから、商売が傾いたと判明した。前の遠州屋とよく似ている」

「それで高麗屋が絡《から》んでいるというのは？」

「まだ証拠はねえよ。いまそれを探しているところさ。しかし高麗屋は、この三軒の大どころがつぶれたあたりから、めきめきと商いが太くなった。そして秩父屋がつぶれてから三年目、遠州屋がつぶれてから二年目に、お上の御用を受けるようになっている」

「…………」

「深川を見渡しても、ほかにそんな材木屋はいねえぜ、伊之」

伊之助は帳面に眼を落とした。そこには、つぶれた三軒の材木屋の家の者の名前と、番頭、手代といった主だった奉公人の名前がびっしり書きこまれていた。

その中の何人かの名前の上には、朱墨《しゅぼく》で線を引いてある。それはたずね出して、調べがついた分だろう。

「遠州屋は、見つかったんでござんすか」

「見つかった。何と浅草の馬道で、夫婦で小さな古手《ふるて》屋の店を出しておった。高麗屋と何か絡みがなかったか聞いてみたが、こいつは駄目だった。昔のことは忘れたなどと言ってな。かなり耄碌《もうろく》もしておって、埒《らち》あかん」

「さいですか」

「とてもながれ星という柄じゃねえ。子供はそこにあるおさよという娘一人だが、これはつぶれる前に嫁に行って、いまは三人の子持ちだ。番頭、手代も遠州屋にきいて行方がわかったが、それぞれ商売換えして、ほかでちゃんと勤めておった」

「すると、残るこの中に、ながれ星がいるかも知れねえということになりますか」

「連中の破産に、高麗屋がひと口嚙《か》んでいるとすればな。おれァな、伊之」

半沢は甘酒の椀《わん》をとりあげたが、空なのに気づいてまた下に置いた。

「調べているうちに、盗っとよりも高麗屋という男が面白くなって来たぜ。もしもだ。つぶれた三軒に、高麗屋が細工をしているとなれば、こいつはどうしてどうして、ただのねずみじゃねえなあ」

「さいでござんすな」

「三浦屋の番頭が、ひょっとして高麗屋の指しがねで動いていたなどということになると、こいつはますます面白くなろうてものだ。番頭はどこへ行ったのだ？　二千両の金はどこへ消えたのだと、高麗屋にただささなくちゃならねえことになる」

「…………」

「お上の御用とひと口に言うがな、伊之。お出入りの材木屋になるには、ひととおりでない金がいるのだぜ。高麗屋はいったいその金をどっから工面したか、と考えると、三浦屋の番頭のことも、もう一度調べ直さなくちゃならねえということだ。高麗屋とつぶれた材木屋。なにしろこのへんのつながりを、ずっとたぐって行ったら、そこへ例の盗っとも、ひょっと浮かび上がって来るのじゃねえかと、おれはいま、そう考えているわけよ」

「旦那《だんな》、さっきの金がいるってえ話ですがね」

伊之助は、ふと思いついて言った。

「高麗屋には、昵懇《じっこん》のお役人らしい人間がついていて、時どき万年町の店をたずねちゃ、もてなされているってえ話ですぜ」

「お前さん、それを誰に聞いたね」

「へえ、おふじという女中頭からですが」

「おふじは、その客がどこの誰と知ってたかね」

「いえ、知らねえそうです」

「やっぱりな」

と半沢は言った。半沢は腕を組んで、額に皺《しわ》をよせた。

「おれは帳付けの清作に聞いたが、清作も知らなかった。その客は頭巾《ずきん》のまま奥座敷に通るそうだ」

「頭巾のまま？」

「そうだ。夏も冬もだ。おれもそれで気になったから、浅吉に言って手下を一人張りこませてみたんだ。鳥蔵という下っ引で、浅吉なんかより、張りこみはうまい男だ。こいつが、辛抱して見張っていて、ある晩、その役人というのをつけた」

「………」

「高麗屋の店先から、駕籠《かご》に乗ったのをつけたのだ。ところが鳥蔵ほどの男が、まんまとまかれたとよ」

「まかれたって、駕籠にですかい？」

「そうじゃねえよ。あちこち引っぱり回されているうちに、はっと気づいて駕籠をとめたら、中がからっぽだったというわけよ」

「………」

「作事あたりの小役人が、もてなしを受けて便宜をはかっているのだろうと思っていたが、その用心ぶりが少し気にいらねえ」

半沢は、険しい眼をした。

「考えていたより大物かも知れねえという気がしてな。そいつもつきとめなくちゃと思っているのだ。しかしいまは、まだ行方が知れてねえ秩父屋と、三浦屋をさがすほうが先だ。三浦屋のもと番頭も含めてな」

半沢は伊之助の顔に眼をもどした。

「お前さん、ほんとにあのころのことをおぼえちゃいねえのかい。三浦屋は、お前さんが十手《じって》を握る前につぶれた家だが、秩父屋と遠州屋はそのあとだよ。それもだ、秩父屋はお前さんの回り先に入っていた、伊勢崎町にあった店だぜ」

「それを、さっきから考えているんでござんすがね」

伊之助は苦笑した。

「たしかに大きな材木屋がつぶれたのは、ぼんやりとおぼえてますんでさ。でもそういうことは、あっちでもこっちでもありやしてね。秩父屋というのが、どのあたりにあった店かもはっきりしませんのですよ、旦那」

「十手を握ったばかりのころだったから、無理ねえか」

半沢は、あっさりとあきらめたように言った。

「ま、何か思い出したら、また寄ってくれ」

妻女の俊江から漬け物をもらって、半沢の家を出ると、夜空に月が出ていた。そして凍るような夜気が、伊之助を包んだ。足もとにおどる自分の影を踏みながら、伊之助は深く腕組みし、襟《えり》に顎《あご》をうずめて道をいそいだ。

——手ぶらで会って、何か聞き出せるような相手じゃなさそうだな。

伊之助は高麗屋のことを考えていた。半沢の話を聞いたあとでは、高麗屋という男は正体の知れない怪物のように思えてくる。そういう男なら、女一人を底無しの沼のような町にほうりこむぐらいは、いとも簡単にやったに違いない。

由蔵などは、ただの材木屋の旦那とみて、いい気分で金をゆすっていたようだが、高麗屋はおびえて金を出すと見せて、多分陰で笑っていただろう。その証拠に、伊之助が二人のつながりに気づきそうになると、あっさり消してしまった。

——ただのねずみじゃねえのだ。

伊之助は、胸の中で半沢の言葉を真似《まね》た。だが、それでしおれたわけではなかった。いまに見ていろ、と思った。

伊之助は、五、六間先を行く、二人連れの職人を見ながら歩いていた。場所は、永代橋を渡って、佐賀町から大川端に抜けたところだった。職人は、仙台藩の蔵屋敷と、清住町の間から出て来たのである。

男たちはどこかで飲んだ帰りというわけではなく、居残り仕事が終わって家に帰るところらしかった。声高に話しながら、いそぎ足に歩いている。

頭の中に、何か気がかりなものが浮かび上がって来たのは、職人姿の二人の後ろ姿を眺めているときだった。その気がかりなものは、何かを、早く思い出せと伊之助に強いていた。

それが何だったかに思いあたったとき、伊之助は、大川べりの道に棒立ちになった。職人姿の男たちに重なって、おまさの店で見かけた男の姿が浮かんでいた。それが誰だったかを、伊之助は思い出したのである。

伊之助は、遠ざかる二人の職人を見送ってから、ゆっくり川っぷちに歩み寄った。川波に、さむざむと月の光がくだけているのを眺めた。

——秩父屋の三男坊で、栄之助。

半沢の名簿にのっていた男だ。秩父屋のことはおぼえていないと言ったとき、伊之助は嘘《うそ》を言ったわけではない。事実を言ったのである。

だが伊之助は、岡っ引をしていたころ、自分が手がけた犯罪者のことなら、どんな小さなこともおぼえていた。飢えにせまられて、ある店先から梨《なし》ひとつを盗んだ、子持ちの寡婦《かふ》の顔を、伊之助はいまも時おり思い出す。

栄之助は、それほど悪いことをして手数をかけたというわけではない。だが、ある賭場《とば》に出入りしていた。その賭場が手入れされたとき、伊之助は栄之助を自身番に連れこんでみっちり説教した。十七という栄之助の年におどろいたからだった。罪にはせず、すぐ家に帰した。

たった一度の、それだけのかかわり合いである。だがおまさの店で若い職人を見かけたとき、伊之助におやと思わせたのは、そのときの遠い記憶だったのだ。

だが、伊之助をいま立ちどまらせているのは、そのおどろきばかりではなかった。疑惑が芽ばえていた。

職人姿の栄之助を見て、伊之助がおやと思ったのには、もうひとつわけがあった。姿は職人だったが、その男は職人らしくなかったのである。顔も手も、女のように白くきれいだった。居職《いじょく》の職人の中には、そういう男がいないでもない。だがその若い男には、職人が持っているあの見間違えようのない勢いがなかったのだ。

伊之助は、材木屋のかかわり合いの者の中に、ながれ星がいると考えている半沢のことを思い出していた。

闇に跳ぶ

一

伊之助が入って行くと、振りむいたおまさが、一瞬棒立ちになったようにみえた。だがおまさはすぐに微笑しながら、腰かけた伊之助に近寄ってきた。

「いらっしゃい。何にする？　すぐお酒？　それともご飯？」

おまさの笑顔が少しぎごちなかった。眼を逸《そ》らして、伊之助に言った。

「飯をくんな」

「あいよ」

おまさは板場に行きかけたが、もどって来て低い声で言った。

「しばらくぶりじゃないのよ。いったい、どうしたの？」

おまさの声に、探るようなひびきがあるのを聞きながら、伊之助はそっけなく、いそがしかったのだと言った。

煮肴《にざかな》と酢ダコ、漬け物と豆腐の味噌汁《みそしる》で伊之助が飯をかきこんでいる間に、それまでいい機嫌で飲んでいた男たちが三人、もつれる足どりで店を出て行った。あとは二人だけになった。

するとおまさは表に出て軒下の灯を消し、さっさとのれんをしまいこんでしまった。そして伊之助のそばにもどると、飯台の向う側に坐《すわ》って頬杖《ほおづえ》をついた。

「まだ、しまうにゃ早かねえかい？」

「いいの、いいの」

おまさは頬杖の間から、飯を喰っている伊之助を覗《のぞ》き見るようにしながら言った。

「こんな寒い晩に、もう客なんかありゃしないよ」

「…………」

「いそがしいって、おようちゃん、まだ見つからないの？」

「そうだ」

「あんたも腕が落ちたねえ」

おまさは遠慮のない口調で言った。

「剃刀《かみそり》の伊之、清住町の親分と呼ばれて、深川の悪党にこわがられたひとがさ。行方知れずの娘っ子ひとり見つけられないんだから」

伊之助は苦笑した。まったくだと言い、残った味噌汁をすすりこむと、一本つけてくんなと言った。板場にひっこむおまさのうしろ姿を眺めながら、伊之助はおまさがいつもの調子を取りもどしたのを感じ、この調子なら、あの話を出しても大事あるめえと思った。

おまさは銚子《ちょうし》を三本運んできて、一本はおごりだよ、と言った。酒はやや熱めの伊之助がいつも喜ぶカンがついていた。立てつづけに三杯、腹におさめると、身体《からだ》のどこかに残っていた冷えが、すっと遠のいたような気がした。

「そのことで、今夜はおめえに少し聞きてえことがあって寄ったのだ」

「なあに、聞きたいことって？」

おまさはぴくりと肩をふるわせたようだった。伊之助は、そういうおまさに盃《さかずき》を持たせ、酒をつぎながら、つとめておだやかな口ぶりで言った。

「ここへ来る、若《わけ》え職人のことだよ」

「だれさ、若い職人て？」

おまさはとぼけた。だがとぼけ切れずに、顔色は白くなった。おまさは唇を嚙《か》んで、そっと盃を置くと、そのままうつむいてしまった。隠しごとの出来ない女だった。

――やっぱりあれを言わなきゃ、話が先にすすまねえようだな。

伊之助は気が重くなった。

秩父屋《ちちぶや》の三男坊と思われるあの若い男が、深夜に、暗いこの店から出て行くのを偶然に見たとき、伊之助はいっとき苦しいような気分を味わったが、そのことでおまさを責めるつもりはまったくなかった。

おまさは、誰に縛られている女でもない。伊之助との仲は、何かのきっかけさえあれば、すぐにも一緒になっておかしくないほど親密だが、きっかけがおとずれなければ、このままで過ぎるかも知れないというような仲でもあるのだ。

そして伊之助が、時どきいまのままが一番いいと思うことがあるのも事実だった。伊之助はそういう意味では、一度もおまさを自分の女だと考えたことはない。何をしようとおまさの勝手だった。

だが、あの若い男のことをおまさから聞き出そうとするかぎり、おまさとあの男の仲を知らないふりで過ごすことは無理なようだった。

腹を決めて伊之助は言った。

「いまも、時どき来てるんだろ？」

「……………」

おまさは答えなかったが、うつむいたままうなずいた。伊之助は、おまさの丸い肩を眺めた。淡い嫉妬《しっと》が心をかすめたようだった。しかし伊之助はすぐに立ち直った。

「いつから、あんなふうになったんだい？」

「どうして知ってるの？」

顔をあげて、逆におまさが問い返した。

「あの男が、夜おそくこの店を出て行くところを見たんだ」

「悪いことは出来ないねえ」

おまさは奇妙な笑いをうかべ、青白い顔をまっすぐ伊之助にむけた。

「信用してくれなくてもいいけど、たった一度の間違いがあんたに見つかったんだ。一度だけ、酔っぱらっちゃってねえ。ひどく酔っぱらっちゃって……」

おまさの声が、つぶやくように細くなった。そしておまさの顔は不意に赤くなった。刺すような眼で、伊之助を見た。

「でも、伊之さん。こうなったから言わせてもらうけど、あんたと心が通っていると思うようになってから、何年になるかしら。あんたはすぐそばまで来ていながら、一度も手も握ってくれなかった。それ、どういうこと？」

「…………」

「いいえ、返事は聞かなくていいの。あたしにもやっとわかって来たから。あたしはあんたに恋いこがれたけど、あんたはあたしを好いたわけじゃなかったのね。それをあたし、どうして心が通いあってたなどと思ったのかしら。バカね」

「…………」

「そのことがわかって、むしょうに淋《さび》しかったんだ、あの晩は。あんたのことを考えるのは、もうやめにしようと思って、とことん飲んだんだよ。そう、あんたは、本当はあたしが嫌いなんだもの」

「…………」

「もう終わっちまったことだから、どうでもいいけど、でも、伊之さんあんた、あたしを好いたふりしたでしょ？　なぜなの？　あたしには、あんたのそういう気持がわからない」

おまさは飯台の上で固く手を握りしめ、頰に涙をしたたらせていた。そして伊之助が手をのばしたのを、ゆっくりかぶりを振って拒むと、握りしめた手の上にうつぶしてしまった。

伊之助は立って飯台の横を回ると、おまさのそばに行った。

「おめえを、嫌ってなんぞいねえ」

「…………」

「もう一度所帯を持つとしたら、相手はおめえしかいねえと決めていた」

「うそ！」

おまさは顔をあげて、下からきっと伊之助を見た。

「もう、だまされないから」

おまさは立ち上がって、伊之助を突きのけて板場に行こうとした。そして伊之助につかまると強い力で抗《あらが》った。だがあばれればあばれるほど、おまさの身体はすっぽりと伊之助の胸の中に入ってくるようだった。それでもおまさは手を突っぱってのがれようとし、伊之助はその手をはずして抱き直すことをくり返したが、その動きには、途中からなれあいの感じが加わった。

「悪党！　女たらし！」

おまさは小さく罵《ののし》った。そして疲れ切ったように伊之助の胸に寄りかかると、眼を閉じた。

おまさの唇は、花の匂《にお》いがした。骨細《ほねぼそ》な身体に見えながら、手のひらに伝わってくるのは、成熟した女体の豊満な感触だった。唇をはなしたとき、伊之助はおまさと寝た若い職人に、強い嫉妬を感じた。

その気持を感じとったように、おまさが眼を閉じたまま言った。

「悪いことをしたんだから、あたしをぶって」

「よし」

伊之助は、おまさの頬をひたひたと二、三度叩《たた》いた。

「浮気はゆるさねえ」

「これで、いいの？」

おまさが眼をひらいて言った。二人はやっと身体を離して向き合った。そしてどちらからともなく笑い出した。伊之助は気分がさっぱりしたのを感じた。

「あたし、子供のころから伊之さんが好きだったのね」

おまさは飯台にもどると、伊之助にお酌をしながら言った。

「だから、伊之さんがおすみさんと所帯を持ったと聞いたときには、眼の前が暗くなったわ。でもそのころは、あたしもおとっつぁんが病気で、この店を引きついだばっかりだったし、あんたとは縁がないんだと、きっぱりあきらめたの」

「…………」

「そうでもないのかなと思いはじめたのは、あんたが一人になって、ここにご飯食べに寄るようになってからかしら」

おまさは首をかしげて、じっと伊之助を見た。

「でもあんたは、あたしがいまのようなことを言い出そうとすると、いつも逃げてたわね。どうして？」

「女がこわかったからさ」

「そう」

　おまさはうつむいて、盃に眼を落とした。

「おすみさんのことが忘れられないのね」

「死んだ女房が恋しいというだけじゃねえぜ。気持にすっきりしねえところがあらあな」

「わかってるわ。だから、無理に一緒になってくれなくともいいのよ。あんたが、気持を見せてくれただけで、あたしはうれしい」

　伊之助は、手をのばしておまさの手を握った。おまさは、今度は素直に手をゆだねて、伊之助を見つめた。

「だがそいつも、もう終わりにするか。三十面《づら》さげて死んだ女房がどうこうと言うのも、みっともねえ話さ。おいら、おめえと所帯を持ちたくなった」

「ほんと？　でも、無理しなくていいのよ」

「無理してねえことは、おめえが一番よくわかってるだろ？」

「そうね。それはいつ？」

「およいが見つかったときかな」

と伊之助は言った。一人の女を、闇に閉ざされた場所から、うまく取りもどせたら、それはおまさとの新しい暮らしに入るにふさわしい、気持よいはずみになりそうだった。

だが、そう言ったとき、伊之助はようやく今夜ここに来たわけを思い出し、気持がひきしまるのを感じた。

「ところで、さっきの話の職人のことだが、まだ時どき来てるって言ったな」

「ええ」

おまさはまぶしそうな眼で、伊之助を見た。

「あたしはもう、何ともないけど、あんたがいやだったら、来ないでくれって言おうか」

「そうじゃねえ」

伊之助はあわてて言った。

「その男に、ちょっと用があるんだ」

「どうして？」

と言ったが、おまさはすぐに悟って、驚愕《きょうがく》した表情になった。

「あのひと、およようちゃんのことに何かかかわりがあるの？」

「いいカンをしてるな。おめえに一度、岡っ引をやらせてみてえぐらいのもんだ」

と伊之助は言った。だがおようとどうつながりがあるかは、おまさにはまだ言えないことだった。

二

第一伊之助自身にしても、あの若い職人のことを聞きに立ち寄ったのは、カンにみちびかれてといえば体裁《ていさい》がいいが、いわば思いつきからにすぎない。

あの若い職人がながれ星という盗っとかも知れないなどと言ったら、おまさは笑い出すか、そうでなければびっくりして卒倒しかねない。

「かかわりといっても、大したこっちゃない。ちょっと聞きてえことがあるだけだ」

「そお？」

「あの男にいつ会えるかね」

「さあ、明日にも来るんじゃないかしら。このところ三日おきぐらいに来てるようだから」

「おめえに惚《ほ》れちまったかな」

「やめてよ、そんな言い方。あたし、ほんとに後悔してんだから」

「職人というと、どこで稼《かせ》いでんだね」

「富川町のあたりに、やま徳っていう錺職《かざりしょく》があるかしら？」

「さあ、どうかな。そこにいるのか」

「そう、錺の職人だと言って」

おまさは髪から笄《こうがい》を抜くと、赤い顔になって伊之助に見せた。

「これをくれたわ」

「どれどれ」

伊之助は手にとって見た。べっこう作りで、端に銀砂子《ぎんすなご》を埋めてある。高価な品に見えた。

「住居《すまい》はどこって言ったかね」

「あたしは聞きもしなかったけど、本所の石原町のあたりだって自分で話してた」

「ふーん」

伊之助は笄をおまさに返した。

「いま、おれがおめえに聞いたことは、誰にも言っちゃならねえ。あの職人にもだ。わかったな」

そう言ったとき、こつこつと表の戸を叩《たた》く音がした。

「だれ？」

おまさが飛び上がるように立ち上がって叫んだ。

「あっしだが、まだ起きてんのかね」

「あら」

おまさは棒立ちになって、伊之助を見た。伊之助は首を振った。振りむかなくても、声の主が、いつかの若い職人だとわかっていた。

おまさが戸口に出て行った。その足音を背中で聞きながら、伊之助は全身を耳にした。

「なに、通りかかったらまだ灯が見えたもんで、もしやまだやってるかと思ってよ」

「おあいにくさま。もう終わりなんですよ」

「…………」

「そのひとは知り合いでね、客じゃないの。ちょっと相談ごとがあって、来てもらってるんですよ」

「そうかい。じゃ、また出直すか」

おまさが戸を閉めてもどって来ると、伊之助ははじかれたように立った。

「噂《うわさ》をすりゃ影ってのは、ほんとだな」

「あれでよかったかしら」

「いい。おめえはこのまま、もうしばらく灯をつけといて、あと戸締りして寝な。おれは裏から出る」

伊之助はただならない顔つきをしたようだった。おまさの顔が青くなった。

「なにか、はじまるの？　あたし、こわい」

「心配することたあねえよ」

板場に、尻《しり》から入りながら伊之助は笑って見せた。そして胸を抱いて立ちすくんでいるおまさにうなずくと、つづきの土間に降りて、裏口を出た。

小走りに店の横に回る。隣の煮豆屋との間は、身を横にしないと通れないほど狭かった。肥《ふと》った男ならそこで往生したろう。伊之助は、板壁にはさまれた暗い隙間《すきま》に肩からすべりこむと、蟹《かに》のように静かに横に這《は》った。用心した甲斐《かい》があった。外を窺《うかが》うと、むかい側の武家屋敷の塀《へい》の下に、身じろぎもせずに男が立っているのが見えた。

男が、そうして伊之助が帰るのを待っているだけなのか、それとも帰るのを見とどけてから、もう一度店の戸を叩くつもりでいるのかはわからなかった。伊之助も息をひそめて、黒い影のようにみえる男を見つめた。

男が道の真中に出て来た。おまさが店の中の灯を消したのを見たようだった。男はしばらく店を見つめたまま立っていたが、やがて不意に足を返して歩き出した。歩き出したとき、月明かりに照らされた男の顔が見えた。やはり前にみた若い職人だった。

しばらく間をおいてから、伊之助は店の陰から出た。そして足音を立てずにすばやく道を横切った。月はほとんど真上にかがやいていたが、武家屋敷の塀が、道の上に短い影を落としている。その影を踏んで、伊之助は男のあとをつけた。

男は常盤《ときわ》町二丁目の方に歩いていた。少しまるめた背を見せて、早い足どりで歩いて行く。男のほかに人の姿は見えなかった。明るくて、後をつけるには都合がよかったが、後ろをふりむかれるとぐあいが悪いようだった。だが男は一度も後ろを振りむかなかった。

——おや？

伊之助は眼を光らせた。本所の石原町に住んでいるという話がほんとなら、男は松井町をはずれたところで道を左に折れるはずだった。だが、黒い後ろ姿は、まっすぐ林町の方に歩いて行く。足どりには、ためらいがなかった。

林町を過ぎ、徳右ヱ門《とくえもん》町にさしかかったところで、男ははじめて右に折れた。そのあたりは小さな武家屋敷が密集している町である。だが通り抜ければ富川町に出る道筋だった。

――勤め先に行くつもりかい？

おまさにはああ言ったが、あるいは住み込みなのかも知れない。伊之助は辛抱づよく後をつけながら、そう思った。だが長い武家町を抜けて富川町に入ったが、男は足をゆるめずその町を通りすぎた。そして横川堀の川ぞいの道に出た。

長い道だった。月こそ明かるかったが、寒い夜だった。時刻はそろそろ木戸を閉めるころだと思われた。人通りがないのは、寒くて時刻が遅いせいだろう。歩いているのは、どこまで行っても男と伊之助の二人だけだった。

ところどころで辻番所《つじばんしょ》の前を通りすぎたが、番所では高張提灯《たかはりぢょうちん》を出しているだけで、番人の姿は見えなかった。寒いので、中に籠《こも》っているらしかった。伊之助は、いまごろ夜道を歩いているのは、広い江戸の町で男と自分と二人だけかも知れないという気がしてきた。

男は少しも足を休めようとせず、ついに小名木川に架かる新高橋を渡った。男の黒い姿が見上げるほど高い橋の上に、影絵のようにうかびあがるのを見ながら、伊之助は橋ぎわの、わずかな暗がりにすべりこんだ。

――いってえ、どこまで行くつもりだい？

伊之助は、男が橋を渡る気配を、身をひそめて聞きながら、小さく舌打ちをした。そして男が渡りきったところを、首をのばして見とどけてから、いそいで橋を駆け上がった。

橋は高く、中ほどは人家の屋根より高く宙空に浮いている。男がもしふりむけば、隠れるところもなく見つかるだろう。そのときはそのときだと思ったが、男は後ろをふりむかなかった。腕を組み、まるめ気味の背を見せて、まったく変わらない足どりで川ぞいの道を歩いて行く。

左側は、月の光がくだける亥《い》ノ堀川で、右側は商家つづきの明るい真直《まっすぐ》な道だった。男を見失う心配はない。

そう思ったとき、男の姿がふっと消えた。男が下扇橋《しもおおぎばし》にさしかかったと思われたときだった。猿江町代地《さるえちょうだいち》と下扇橋の間の道を右に曲がったとわかったが、消え方がだしぬけだった。伊之助は足音を殺して走った。

そこにも、真直な道が月に照らされていた。両側には町家の軒がならび、遠く道の突きあたりに、武家屋敷の高い塀が見える。そして男の姿は消えていた。

伊之助は、足音をしのばせながら、いそぎ足に町に入りこんだ。家は、どこもかしこも暗く、灯の色は見えなかった。耳を澄ましたが、戸が軋《きし》る音のようなものも聞こえなかった。途中にある路地も、丹念《たんねん》にのぞいたが、猫一匹歩いていない。

武家屋敷の塀につきあたったところで伊之助は足をとめ、来た道をゆっくりもどった。全身で物の動く気配を聞き取ろうとしたが、町はひっそりと静まりかえっているだけだった。町は眠っていた。

誰かに見られている感じがしたのは、町をひき返して、あと数歩で河岸の道に出るところまで来たときだった。伊之助は立ちどまった。ゆっくり身体を回して、家々の軒下を眺め、屋根を仰いだ。誰もいなかった。

だが、どこかに伊之助を凝視している眼がある。伊之助はしばらく立っていたが、不意に足早にその町を出た。河岸の道に出ると同時に、見られている感覚はふっと消えた。

――こいつは、面白くなって来たぜ。

伊之助は無意識に急ぎ足になりながら、声を立てずに笑った。軽い興奮に襲われていた。

今夜ここまでつけて来た若い男が、はたして秩父屋《ちちぶや》の三男坊なのかどうかさえ、まだはっきりしたことではない。いくら記憶に自信があると言っても、栄之助を見たのは、六、七年も前のことなのだ。

そして仮りに、男が栄之助だとしても、それですぐにながれ星という盗っとに結びつくわけではない。ただ半沢が、しつこく高麗屋を襲う手口から推して、盗っとは高麗屋につぶされたと思われる、三軒の材木屋にかかわりのあるやつじゃないかと言っただけである。その半沢の言うことも仮定だった。調べはまだ途中で、半沢は推測を話したにすぎない。

すべては仮定の話だった。だが伊之助が、そういう見方が出て来たのなら、一度あの若い職人にあたってみる必要がある、と思ったのは、その仮定の話の中に、強く心を惹《ひ》きつけるものがあったからだ。

もしあの若い職人が秩父屋の栄之助で、そしてもし栄之助が、ながれ星本人だとしたら、一刻も早く問いつめたいことがあった。

九月十五日。それはながれ星が高麗屋を襲った日である。むろん夜だ。そして翌日、おようは高麗屋をやめている。それは高麗屋の女中頭《じよちゆうがしら》おふじに確かめたことだ。だがおようはやめたのではなく、その日か、あるいは前夜のうちに、高麗屋の手で深川の一角にある、あの牢獄《ろうごく》のような町に移されたらしいことも、見当がついている。

そして同じころから、高麗屋のおかみ、おうのは男狂いをはじめた。

——その晩、高麗屋で何を見たか。

もしあの若い職人がながれ星なら、伊之助はそのひと言を聞いて見たかった。ながれ星という盗っとをつかまえるのは、伊之助の仕事ではない。ただ九月十五日の夜に、高麗屋に忍びこんだながれ星が、そこで何かを見たかも知れない、そのことを聞きたいと思ったのである。

だが物には順序がある。伊之助は、まず今夜、若い男の住居《すまい》をつきとめ、それから男の素性を確かめ、近所の評判も聞きとって、じわじわとまわりから探って行くつもりだったのだ。

だが今夜の出来事は、その幾つかの手つづきをいきなりはぶいてしまったようだった。はぶいたのは、あの若い職人の方である。男は住居があるという石原町に帰らなかった。仕事場だという富川町のやま徳に行ったわけでもない。

――まさか、情娼《いろ》のところに泊りに行ったというわけじゃあるめえよ。

むろんそうじゃない、と伊之助は思っている。男は伊之助の尾行に気づき、最後に巧みにまいたのだ。それもどこからか、まかれてうろたえる伊之助を眺めるゆとりがあった。

思いがけなく、胸にずしりと重い手応《てごた》えが残ったのを、伊之助は感じていた。

三

大晦日《おおみそか》。町はいつもと違って、夜になっても明るく、昼のざわめきをそのままに残していた。門松・しめ飾り、新調の染のれんに店を飾った商家は、店先に山のように荷をつみあげ、高張提灯《たかはりぢょうちん》を出してまだ客を呼んでいるし、おまさの店のむかい側には、煮染《にしめ》や団子を売る屋台がならんで、女、子供が群れている。

そういう町の様子を、伊之助は山城橋の橋ぎわにうずくまったまま眺めていた。そして時どきおまさの店に、油断のない眼を走らせた。

おまさの店は、宵の口からひっきりなしに男たちが出入りしている。男たちはのれんをはねて入り、帰りは例外なく少し足をひょろつかせて帰って行く。店の中からのつづきらしく、うまくもない端唄《はうた》のひと節を、どら声はりあげて唱《うた》いながら帰る男もいる。

大晦日の夜というのに、ここに立ち寄って飲んで帰れるのは、まず借金返しのわずらいもない、しあわせな男たちとみるべきかも知れなかった。中には、家に掛け取りが待っているのを承知で、一杯やらずには帰れない飲み助がまじっているにしても、だ。

だが、そういう男たちのことは、伊之助の知ったことではない。橋ぎわにうずくまってから、伊之助が注意深く眼をこらしたのは、二度だけである。五ツ（午後八時）すぎに、いつもの蓑虫《みのむし》のように着ぶくれた、年よりのお貰《もら》いが来た。おまさが出て来て、喰い物と風呂敷《ふろしき》に包んだ着物らしいものをあたえるのを、伊之助は黙って見つめた。おまさのやさしさが見えた。

そしてさっき、あの若い職人がのれんをわけ、戸を開けて中に入って行った。

その男を、伊之助はここ十日近くもつけ回し身辺をさぐっている。

男の名は喜三郎。錺職《かざりしょく》やま徳の職人というのはでたらめだった。富川町には、たしかにやま徳という錺職がいたが、そういう男はいないし、前に雇ったこともないと言った。

そして事実、男は毎日家にごろごろしていた。時どき木場にある新田の辰の賭場《とば》に出かけるが、博奕打《ばくち》ちではなかった。宵のうちに一刻《とき》遊んで、あっさり帰る。本物の博奕打ちは、そういう遊び方はしない。そして、賭場に行かない夜は、はるばる山城橋そばのおまさの店に来て飲んで帰る。

住居が石原町というのもでたらめだった。男は元加賀町の銀平店《だな》に住んでいた。あの晩伊之助をまいた場所から、ずっと西に入ったところにある町だ。

喜三郎の請人《うけにん》は、銀平店の大家甚七自身で、伊之助は、甚七が、景気がよかったころの秩父屋《ちちぶや》と親しくしていた事実まで調べあげている。

喜三郎が、秩父屋の三男栄之助だろうという見込みは、八分どおり当っていると思われた。

あと二分の、残る疑いは、明るいところ——たとえばおまさの店あたりで、さりげなく顔を合わせればはっきりすることだったが、伊之助はそのあとおまさの店に行っていなかった。あの晩、男に顔を見られたと思っているからである。

男については、これだけわかっていたが、それだけで男がながれ星に結びつくわけではない。偽名を使ったり、働きもせず家にごろごろしていたり、おまさに嘘《うそ》をついたりという不審な点は確かにあるが、世の中には、その程度の不審な男はごろごろしているのだ。

ただ、その疑いが出て来たことは確かだった。半沢はつぶれた三軒の材木屋、そのうち遠州屋は調べがついたからのぞくとして、あとに残る秩父屋、三浦屋のかかわりの者の中に、ながれ星がいるかも知れないと推測している。男が秩父屋の栄之助に間違いないとすれば、栄之助は、当然半沢が言う疑わしい人間の中の一人と言える。

そしてもうひとつ。それこそ伊之助が、男をぴったりつけ回している理由なのだが、伊之助をまいた男の手口が、鮮やかすぎたのである。素人《しろうと》が、つけられていると知って、こわくなって逃げたというのではなかった。男は毛筋ほどの痕跡《こんせき》も残さずに伊之助をまいたうえ、逆に伊之助の人体を確かめたのである。ただ者ではないという気持がある。

——おや、出て来たぜ。

伊之助は腰を浮かせた。あの男である。意外に早かったのは、飯を喰っただけで、飲まなかったのかも知れない、と伊之助は思った。数日前、まかれずについに男の住居をつきとめたのは、男が酔っていたからだが、今夜はむずかしいことになりそうだという気がした。

しかし空が曇っていた。どこかに月の気配がある薄曇りの空で、人をつけるには手ごろの暗さが町を覆《おお》い包んでいる。それに町が混《こ》んでいるのも、つけるには都合がいい。

店の中から流れ出した灯明かりの中に、一瞬姿をさらしただけで、男はすぐに歩き出した。やはり酒は飲まなかったらしく、軽快な足どりだった。伊之助は、人ごみの中をしばらく小走りに後を追い、ころあいの距離をとってから、男をつけはじめた。

男が立ちどまったので、伊之助も足をとめた。そこは林町三丁目から四丁目にかかる四辻《よつつじ》だった。時刻は五ツ半（午後九時）をすぎていたが、そのあたりにもまだ人が混んでいた。提灯をさげた商人らしい身なりの男たちが、あわただしく辻を横切ったり、湯屋の帰りらしい女連れが三人、胸に小桶《こおけ》を抱えて声高《こわだか》に話しながら、男のそばを通りすぎたりした。

男は立ちどまったまま、何か思案しているように見えた。そして不意に歩き出すと、辻を右に曲がった。伊之助も、つづいて右に回った。

そこは静かな武家町で、まっすぐ南に走る道の途中に、辻番所の灯が見えた。男は早い足どりで歩き、その灯の下を通りすぎた。そして長い道がやがて突きあたりになる場所に出ると、ためらいなく右に曲がった。

その姿を確かめて、自分もいそいで右に曲がりながら、伊之助は不意に胸の鼓動が高まるのを感じた。男が、住んでいる元加賀町に帰るつもりでないのを感じたのである。おまさの店から林町三丁目のはずれまで来た、その道と平行する道を、男は逆に歩いている。どこへ行くつもりだろうか。

栄之助だとほぼ信じられるその男が、ながれ星かどうかをたしかめる方法は簡単だった。じっくりと後をつけて、男が他人の家に忍びこむところを見つければいいのである。

ただしそれはいつの話かわからないことだった。三日後のことかも知れないが、ひと月後のことかも知れなかった。

男をつけ回しながら、伊之助はたえずそのことを考えつづけていた。ひと月も待つわけにはいかない。男について調べることは、もうなかった。あと二、三日つけて、男に何の変化もなければ、罠《わな》をかけてみようかと伊之助は考えていたのである。

たとえば男に、ながれ星と疑われていると思わせるようなもの、ながれ星が高麗屋に忍びこんだ日にちを記した紙切れでもいい、そういうものを男の留守に、家の中にほうりこんで置く。それで男が何か特別な動きを示すようだったら、一挙に対決して正体をあばく。

胸が躍ったのは、どうやらそのたぐいの泥くさい仕掛けはいらなかったようだという気がしたからである。男はいつもと違う動きをしていた。これまで来たことがない町を歩いている。夜歩きに馴《な》れた、軽い足どりに見えるのが、伊之助の期待を煽《あお》った。

男は、伊予《いよ》橋を渡り、五間堀の西に出た。そして買物客で真昼のようににぎわっている森下町を横切り、町を南組と北組にわける四辻に来ると、今度は左に折れた。男の足はさっきより幾分早くなっている。

男は小名木川に出ると、高橋を渡った。用心深く、しかし男を見失わないように後をつけながら、伊之助は男が橋を降りてまっすぐ南に行くようだったら、行く先は高麗屋かも知れないと思った。だが橋を降りて右に曲がるようだと、そこから海辺大工町裏町にある賭場が近い。

男が思い立ってその賭場に行くつもりでいるのだとしたら、とんだ無駄足を踏むことになる。だが、一瞬浮かんだその危惧《きぐ》は、すぐに身体《からだ》をしめつけて来る緊張に変わった。男は橋を渡ると、わき目もふらずに海辺大工町から本誓寺門前とつづく、暗いまっすぐの道を歩いて行く。

一刻後。伊之助は万年町の高麗屋の裏通り、裏木戸を近くに見るしもた屋の軒下にうずくまっていた。見上げると、微《かす》かな月明かりがにじむ夜空に、さっき男が軽がると乗り越えて行った裏塀が浮かび上がっている。

——長いな。

しびれて来た足をいたわって、伊之助がうずくまったまま軽く足を屈伸したとき、不意に高麗屋の塀の内がさわがしくなった。鋭く人を罵《ののし》るような声が耳を刺してくる。

——野郎、ドジを踏みやがったな。

立ち上がって、伊之助ははげしく舌打ちした。ここでながれ星が高麗屋につかまったのでは、これまで苦心してつけ回して来たのが水の泡《あわ》になる。

そう思ったとき、裏塀の上に黒い人影が現われ、鳥のように闇《やみ》に跳んだのが見えた。黒い影は、路《みち》に落ちたとき転んだようだったが、すぐにはね起きると、仙台堀の河岸の方に走って行く。軽快な身ごなしだった。

後を追おうとした伊之助は、突然明るい提灯の光に照らし出された。高麗屋の裏木戸から走り出て来た男と、まともに顔をあわせていた。

「いたぞ！」

提灯を高くかかげた髭面《ひげづら》の男が、後ろをふりむいてわめいた。とっさに伊之助は提灯をうばって踏みつぶすと、男のみぞ落ちに強烈な当て身を入れた。

男が地面にうずくまり、その身体につまずいて、後から飛び出して来た男たちが、派手にころぶ気配を後ろに聞きながら、伊之助は走った。

河岸に出て、すばやく左右を見たが、男の姿は見えなかった。だが迷っているひまはなかった。伊之助は河岸を右手に走った。そして海辺橋を半ばまで渡ったところで、ぎょっとして立ちどまった。

三間ほど先に、黒い人影が立っていた。その黒い影が口をきいた。

「あわてることはありませんぜ、伊之助親分」

「おめえは……」

伊之助は油断なく身構えながら言った。

「秩父屋の栄之助だったな」

「よくおぼえていなさる。おっしゃるとおりです」

「それで、夜になるとながれ星という盗っとというわけかい。驚いたな」

男は答えなかった。低く笑ったようだった。そのとき河岸の方が明るくなり、人声が聞こえて来た。高麗屋の追手だった。

「ついて来な。おめえに聞きてえことがある」

伊之助は走り寄ってささやくと、先に立って橋を渡った。そしてすぐ右に折れて平野町に入った。町は宵のころにくらべると、よほど静かになっていたが、家々はまだ灯をともし、人は眠っていなかった。そしてまだちらほらと、路上に買物客が動いていた。

伊之助は小走りに人の間を抜けた。後ろをふりむくと、栄之助は同じ足どりでついて来ていた。

平野町を抜け、掘割ぞいに左に折れると、伊之助はまたしばらく走って、浄心寺裏にある山本町の路地に入りこんだ。そして一軒のそば屋の前で立ちどまると、のれんをはねて中に入った。栄之助も後につづいた。

店の中に客はいなかったが、板場の中には釜《かま》が湯気を吹きあげている。栄之助とむかい合ってすわると、伊之助は言った。

「はやらねえそば屋でね」

すると、その声が聞こえたように、板場から肥《ふと》った赤ら顔の四十男が顔を出し、伊之助を見ると大きな声で、おや、おめずらしいと言った。

四

「ちょっと、ここを借りるぜ」

伊之助が言うと、赤ら顔の男は満面に笑いをうかべた。

「どうぞごゆっくり。一本つけますかい。いま嬶《かかあ》も伜《せがれ》もそば届けに出てますが、帰ったらお相手させまさ」

「いや、このひとと話があるんでね。酒はいらない。そば二つくんな」

「へ、かしこまりました」

男はちらと栄之助に眼を走らせてから、板場に引っこんだ。伊之助が岡っ引を勤めたころに、下っ引で働いた安蔵という男で、伊之助がそう言っただけで、すぐに内密の話だとのみこんだ顔色だった。これで、しばらく誰にもじゃまされずに話が出来る。

伊之助は向き直って改めて栄之助を見た。たじろぐ様子もなく、男は伊之助を見返している。間違いなく秩父《ちちぶ》屋《や》の三男栄之助だった。浅黒い細面。切れ上がった眼尻《めじり》、やや酷薄な感じをあたえる薄い唇が、六、七年前の印象と、さほど変わっていなかった。

「お前さんとは、前に一度会っている」

「さいでござんすな。手慰みに首を突っこんで、お説教をくらいました」

「それにしても驚いたな」

「何のことですかね」

と栄之助は言った。

「あっしが、今夜高麗屋に忍びこんだことですか」

「今夜だけじゃねえだろ。ながれ星とか言われて、だいぶ深川を荒してるじゃねえか」

「あっしが？」

栄之助は、身体をのけぞらせて、ぐるりと眼玉をまわしてみせた。ふてぶてしいしぐさに見えた。

「そいつは旦那《だんな》。とんだカン違いですぜ。あっしが人さまの家に忍びこんだのは、今夜がはじめて。それもわけあってのことです」

「おとぼけはよしな」

伊之助はじろりと栄之助を見たが、すぐに眼の光を消した。

「ま、そいつはいい。おれはながれ星をつかまえようと、お前を追っかけていたわけじゃねえ」

「………」

「おれにつけられていたのを知ってたんだな？　だからわざとおれをあそこまで引っぱって行って、高麗屋に入って見せたのだ。なぜだい？」

「あの家から盗み出して、旦那に見て頂きてえものがありましてね」

「そいつは手に入ったのか？」

伊之助がそう言ったとき、いつの間にか帰っていたらしい安蔵の女房が、そばを運んで来た。女房は伊之助にお愛想《あいそ》を言ったが、亭主に言いつけられていたらしく、すぐ離れて行った。

「おめえも喰いな。おれは、まだ晩飯を喰ってねえのだ」

伊之助がそう言うと、栄之助もすぐにそばを喰いはじめた。二人は、しばらく無言でそばをすすった。

しいな。

——この男は、長らく高麗屋を狙《ねら》っていたが、どうやら狙ったものを手に入れたらしいな。

伊之助はそばをすすりながら、そう思った。それが手に入ったから、栄之助はさっき、逃げずにおれを待っていたのだ。狙ったものは、もと岡っ引の前に素顔をさらす危険を犯してまでも、おれに見せたいような品であるらしい。むろん、金なんかじゃない。

「旦那につけられていることは、気づいてましたよ」

あっという間にそばを喰い終った栄之助が言った。

「身の回りを調べられたこともね。それで、失礼ですがあっしも、旦那のことを調べさせてもらいました」

「ほう」

伊之助が顔をあげると、栄之助はにやりと笑った。

「お勤めの方は三年前にやめていなさる。それでいまは瓢簞堀《ひょうたんぼり》そばの彫藤で働いている、なんてことをね」

「…………」

「お上の十手《じって》なしで、何か探し物をしていなさるらしいこともわかりましたよ。そいつは高麗屋につながりがあるようだが、あっしの探し物とは違う筋のことらしい、とか」

伊之助は、眼をほそめて栄之助を見た。

「お前さんに、そんなことを聞かせたのは、誰だい？」

「さあ。賭場《とば》に行くと、いろんなやつに会いますからな」

「だから、そいつは誰だと聞いてるんだ？」

「言わなきゃいけませんかね」

「聞きてえな。新田の辰か？」

栄之助は首を振った。

「兼吉という男ですよ。ご存じでしょ？」

「ああ」

伊之助はうなずいたが、眉《まゆ》をひそめた。博奕《ばくち》打ちの由蔵の見張りを頼んだ、あの密告屋だ。だが兼吉は、由蔵と高麗屋がつながっていることを、どこから知ったのだろう。

むろん伊之助は話していない。兼吉に由蔵の見張りを頼んだときは、背後にいるのが高麗屋だと知らなかったのだから、話すわけがない。それとも兼吉は最近になって、伊之助が高麗屋のまわりを嗅《か》ぎまわっていることを誰かに聞いたのだろうか。

だが兼吉などという陰気な博奕打ちが、高麗屋にかかわりがある誰と親しいというのだ？　伊之助はこれまで接触した人間を思いうかべた。

高麗屋のおふじ、おまつ、そしておかみのおうの。おうのとつながりがある役者の鶴之丞《つるのじょう》。三次郎という、色男気取りのやくざ者は、おうのの素性を知らなかったから論外だ。ほかには更科《さらしな》の女中お滝がいるが、お滝は伊之助を、最後には岡っ引だと誤解し、由蔵を調べているだけと思っているはずだ。はずしていい。

しかし鶴之丞や、高麗屋の女たちが、兼吉とつながりがあるとは考えられなかった。はて？　兼吉はおれが高麗屋を嗅ぎまわっていると、誰に聞いたのだろう。

「兼吉は、新田の辰に出入りしてるかね？」

「出入りなんぞ、してねえでしょ？　あいつはそういう男じゃありませんぜ。いつも一人ぼっちで、陰気くさくて」

「そういえばそうだな」

呟《つぶや》きながら、伊之助は強い疑惑につかまれるのを感じた。すると、栄之助が身体をのり出すようにして顔を近づけると、ささやいた。

「あの男には、気をつけた方がいいかも知れませんよ」

「兼吉か」

「ええ」

栄之助は、じっと伊之助を見た。

「あいつ、旦那のことを笑ってましたぜ」

「………………」

「近ごろ、あの男に金をやって、何か頼んだことがありますかね」

「ある」

「くれたのは、たったの二分だったって。それがおかしくてならねえ様子で、ひとりで笑ってましたよ。あっしには何のことかわかりませんでしたがね」

「たったの二分と言ったかね」

伊之助は苦笑した。密告屋は金に不自由していないらしい。いや、それもあるが、兼吉はおれがあの男に由蔵の見張りを頼んだことを、嘲笑《あざわら》ったようでもある。なぜだ？

伊之助は湧《わ》き上がる疑惑に包まれるのを感じたが、ひとまずその疑惑を抑えた。

「なるほど、気をつけた方がよさそうだ。ところで話を本筋にもどそう。高麗屋から頂いて来たものを拝見しようか」

伊之助がそう言うと、栄之助は無言で腹がけの奥をさぐって、油紙で密封した書付けのようなものを取り出すと、伊之助の前に置いた。表に臼井《うすい》様御用書と達筆に書いてある。

「こいつは手紙かい」

「それが違うんで」

「封を切っていいかね」

「どうぞ、ごらんになってください」

伊之助は慎重に油紙の封を剝《は》がした。その中は奉書紙の包みだった。そしてさらにその中に一枚の書付けが入っていた。

文面は簡単なものだったが、達筆すぎて読みにくかった。ようやく伊之助は、その書付けが、工事に変更を生じたから、材木の到着を五日遅らせよという命令書だと判読した。

命令を受けたのは才賀屋吉六という男で、指図しているのは作事《さくじ》奉行臼井織部正《おりべのしょう》だった。

「これだけじゃ、何のことかわからねえな。話を聞こう」

「ありがとうございます。旦那ならきっとそう言ってくださると思った」

栄之助は微《かす》かに笑った。そして、たまっていたものを吐き出すような表情で話し出した。

六年前に、幕府は作事奉行に命じて、鶴《つる》ヶ岡八幡宮《おかはちまんぐう》を含む鎌倉《かまくら》の社寺を修復させた。その材木の調達を請負ったのが秩父屋である。秩父屋は、請負いが決まると、日ごろ懇意にしている美濃《みの》の山元問屋才賀屋と組み、材木の切り出し、船を使う輸送の手配、陸に上げてからの車力の手配などをきっちりと打ち合わせた。材木は、工事がはじまる前日には、滞りなく鎌倉の作事小屋に到着するはずだった。

その材木が期日に届かなかったのである。秩父屋は、作事奉行の叱責《しっせき》を浴びながら、一日待ってもらった。だが材木は来なかった。秩父屋はあわてて美濃に早飛脚を立てたが、後の祭りだった。秩父屋は連れて行った人夫を、遊ばせておくしかなかった。

材木は、期日より五日遅れて、最初の荷が到着し、つづいて続ぞくと荷が入った。荷の遅れについて、才賀屋からは何の申しわけもなく、飛脚は、荷は送り出したという返事をもらって帰って来ただけである。

打ち合わせに、重大な手違いがあったらしいと秩父屋は思ったが、材木が到着したあとは工事場は戦場のようになった。確かめるひまもなく日が過ぎた。

そしてほぼ一年後、社寺の修復工事が終わったすぐあとに、秩父屋は幕府お出入りを差しとめられた。そしてさらに一年ほど経《た》って、秩父屋はつぶれ、家族は四散した。

「読めて来た。その材木の荷の遅れは、この書付けのせいだと言うんだな」

伊之助が言うと、栄之助はうなずいた。

「それが、ひでえ仕掛けになってましてね」

秩父屋は、工事が一段落して見通しがついたところで、才賀屋に使いをやって、荷が遅れた事情をただささせた。使いに立ったのは手代の益吉だったが、益吉はやがて狐《きつね》につままれた顔で帰って来た。益吉が才賀屋から聞いた話は奇怪なものだった。

「こういう書付けが早飛脚でとどいて、才賀屋は荷の送り出しを五日待ったというんですな。親父《おやじ》はそんなことは臼井さまにはひと言も聞いていなかったのですよ。そしておかしなのはそのあとだ」

「…………」

「益吉は、臼井さまのその書付けをお見せ頂きたいと言ったそうです。ところが才賀屋は、そのときには作事奉行から来た書付けを持っていなかったのですな。誰かが、その書付けを取り戻しに行ったんです」

「はるばると、美濃までかい？」

「さいですよ、旦那。男は秩父屋から来たと言って、工事のかかりを遅らせたのは、臼井さまの不手ぎわで、それがお上の方に知れてはまずい。臼井さまと相談して、その書付けを引き取りに来たと言ったそうです。男は大そう落ちついていて、いかにもそういうことがあるらしく話すので、才賀屋は疑いもしなかったらしい」

「……………」

「あっしが才賀屋に確かめたところでは、その男の人相、風体、疑いもなく高麗屋でした」

五

「なるほど。するとこいつは……」

伊之助は、作事奉行の署名がある書付けをつまみ上げた。

「高麗屋がこさえた偽《に》せ書きというわけかね」

「違いますぜ、旦那《だんな》」

と栄之助は言って口をゆがめた。

「偽せものなら、高麗屋があんなに大事にしまって置くわけはありませんや。さっさと燃やしちまうでしょうよ。こいつは本物だ。作事奉行の臼井と高麗屋は、ひとつ穴の狢《むじな》というやつで、親父《おやじ》を陥《おとし》れるために、二人で組んだ仕事でさ」

工事の取りかかりを五日遅らせるというたくらみには、巧妙な仕掛けがあった。工事を支配するのが作事奉行であるかぎり、着手が五日も遅れれば、それは奉行の重大な手落ちになる。咎《とが》めをまぬがれない。

そして作事奉行の臼井は、一人の材木屋を陥れるために、そんな危険を冒すはずもなかったのである。臼井は実際には、工事開始の日取りを、上司に届け出た日にちより五日早めて、秩父屋《ちちぶや》に告げただけである。

幕府が行なう工事には、近隣諸藩から手伝いの人夫を差し出す。作事が連れて行く大工、人夫はほんのひと握りで、大部分の人手は、この手伝い人夫で賄《まかな》うのである。臼井は、手伝いの諸藩には、秩父屋に言った日にちより五日遅れた日付けを、工事着手の日として通告していた。栄之助は、そのことを手伝い人夫を差し出した、二、三の藩をあたり、当時人夫頭を勤めた人間にあたって確かめている。

「青くなって気を揉《も》んだのは、親父や店から行った連中だけで、作事方の大工や人夫は、その間臼井に言われた下仕事をやっていたので、なんの騒ぎもなかったというわけでさ。作事の小屋と、秩父屋の小屋はまるっきり別の場所にあったから、こっちの方じゃ、そんなことはちっとも知らなかったんだ」

「…………」

「というわけで、その書付けは本物なんだが、面白《おもしれ》えことに、奉行はこの書付けを、高麗屋が取りもどして来たことは知っちゃいなかったんですよ」

「何で高麗屋が、美濃《みの》くんだりまで、これを取りもどしに行ったか。そいつはおれが言おう。高麗屋は、才賀屋に言ったように、奉行をかばったわけじゃねえ。逆だな。あの男は、この書付けを手に入れて、奉行を脅《おど》したんじゃねえのか」

「そのとおりですよ、旦那。あっしは、高麗屋がこの書付けをちらつかせて、臼井という奉行を脅しているところを、実際に見ましたぜ。大したタマだ」

「臼井というひとは、いまも作事奉行をしていなさるのかね」

「いや、この旦那は二年前に、小普請《こぶしん》支配というお役目に変わったんだが、腐れ縁は切れちゃいませんよ。臼井はいまも高麗屋のために、役所の方にいろいろと口きいてます。はじめは脅されてそうしたんだが、いまじゃ欲だ。高麗屋は、もとお奉行にどっさり金をつかませてますよ」

「…………」

「汚ねえ金をね」

「それで、おれにどうしろと言うのかね」

伊之助は、少し突っぱなした言い方をした。すると栄之助は、絡《から》みつくような視線を、伊之助にむけて来た。

「この書付けを証拠に、高麗屋をぶっつぶすわけにゃいきませんかね。こいつは高麗屋と臼井がつるんで、あっしの家をつぶしにかかった証拠の品でもあるし、表沙汰《おもてざた》になれば、臼井が言いわけに困る書付けじゃねえかと思うんですがね。そのいきさつは、いまだって才賀屋に行きゃ、みんな喋《しゃべ》ってくれますぜ」

「…………」

「旦那を見込んで相談をかける気になったんですがね。旦那なら、お奉行所の方にも知り合いがござんしょうし。あっしには、ほかにこんなことを頼めるひとはいねえもんで」

「…………」

「お頼みするからには、覚悟を決めてますぜ。逃げも隠れもしません。旦那が出ろとおっしゃるなら、出るところにも出ますよ。高麗屋と心中出来りゃ、本望というもんですからな」

出るところに出れば、ながれ星の素性が割れる。栄之助は、暗にそれでもいいと言っているのだった。

栄之助の顔に、陰惨な表情が現われている。栄之助は、伊之助の前にはじめて怪盗ながれ星の素顔をさらしたようだった。伊之助は、ながれ星が高麗屋を襲っているのは、金が目あてでなく怨《うら》みからだろうと言った、半沢の言葉を思い出していた。

「安さんよ」

伊之助はうしろの板場に声をかけ、顔をつき出した安蔵に言った。

「話が長くなりそうだが、構わねえかい？」

「いっこうに。どうせ今夜は、家の連中寝やしませんから、気をつかうことはありませんぜ」

安蔵は愛想よく言い、そばから安蔵の女房も、旦那どうぞごゆっくり、いまお茶を差しあげますよ、と言った。

伊之助は眼を栄之助にもどした。

「その返事をする前に、お前さんに聞きてえことがある」

「…………」

「お前さん、九月の十五日の夜も、高麗屋に忍びこんでいるな？」

「…………」

「その晩に、高麗屋で、何か変わったことを見かけなかったかね」

「…………」

「どうしたい？　口を無くしたか」

栄之助は薄笑いをうかべて伊之助を見つめていたが、やっと口を開いた。

「そいつをしゃべるのは、ちょっとやばいな。あっしはまだ旦那に、高麗屋に入ったのは、今夜がお初だとしか言ってませんからな。もっとも、あっしの頼みを聞いてくださるというなら、話はべつですがね」

「おめえ、おれを相手に取り引きするつもりかね。甘くみるんじゃねえぜ、小僧《こぞう》」

伊之助は威嚇《いかく》した。小声だったが、もと岡っ引の威嚇には凄味《すごみ》があって、栄之助の顔がひきつった。

「頼みをひきうけるかどうかは、こっちが知りてえことをおめえがしゃべった後で、おれが決めることだ。それが不服なら、このまま失《う》せな。お奉行所の方には、黙っててやら」

「…………」

「高麗屋に行ったんだろ？　九月十五日の晩だ」

「へえ」

「そこで何を見た。残らず話してみな」

伊之助がそう言ったとき、安蔵の女房がお茶を運んで来たので、二人は口をつぐんだ。そして女房が板場に入るのを見とどけてから、栄之助が口を開いた。

「確かに、十五日の晩、入りやした」

「忍びこんだのは、何刻《なんどき》だ？」

「五ツ半（午後九時）過ぎでさ」

栄之助はその晩、数寄屋《すきや》づくりの離れから侵入した。離れにはその夜客があって、にぎやかな灯の色が外の庭まで洩《も》れ、忍びこむ場所として不利だったが、台所口にも、母屋《おもや》のまわりにも、見張りの男たちがいて近づけなかった。

入りこむと、はずした雨戸を内側からはめて、栄之助は手近なひと間に入ると、押入れから天井裏にのぼった。今夜の客が誰か、確かめるつもりになっていた。梁《はり》をつたって、客をもてなしている部屋の上に出ると、栄之助は前にしのびこんだときに細工して置いた天井板をさぐり、少しずらした。下の座敷の有様が眼に入って来た。

客は臼井織部正《おりべのしょう》だった。その前に高麗屋夫婦が坐って、酒の相手をし、下座では着飾った女たちが、三味線にあわせて唱《うた》ったり、踊ったりしていた。栄之助はじっくり待った。もてなしは、間もなく終わるはずだった。客が帰って、家の中が寝静まったすぐ後に、盗っとが一番動きやすい時刻が来る。

四半刻ほど過ぎて、高麗屋は、女たちを下がらせた。客はまだ帰らず、夫婦と客との間に盃《さかずき》のやり取りがつづいたが、やがて高麗屋が立って部屋を出て行った。

その直後に、意外なことが起きた。高麗屋が出て行くのを待っていたように、いきなり客がおかみに襲いかかったのである。

おそらく客の身分を考えたのだろう。美しいおかみは声を立てなかった。だが、その抵抗ぶりはすさまじかった。恰幅《かっぷく》のいい客が、二度も畳の上にはねとばされたほどである。おかみは帯をひきずったまま、襖《ふすま》ぎわまで這《は》った。だがつかまって引きもどされた。

明るい灯の下で、地獄絵がくりひろげられた。着物をひき剝《む》かれた白い下肢が、何度かむなしく空を蹴《け》り、やがてあきらめたように畳に落ちた。

だが、栄之助が無残なものを見たのは、もう少し後だった。いつの間にか、女の動きに、男を受け容《い》れる新しい動きが加わりはじめていた。女はもう男を拒んではいなかった。その証拠のように、女の欣《よろこ》び歔《な》く声が、栄之助の耳にとどいた。凌辱《りようじよく》の光景が、いつか淫靡《いんび》なものに変質し、縺《もつ》れあって、男と女が動いていた。

そのとき、襖があいた。その娘が、何のためにもどって来たのか、むろん栄之助にはわからなかったが、それは客と高麗屋のおかみにとっても、予想外の出来ごとだったようである。

二人は、はじかれたように離れて、娘を見た。娘は襖ぎわに棒立ちになっている。自分が見たものに動顚《どうてん》して、とっさに次の行動を思い出せないというようにも見えた。

すると、部屋の隅まで逃げた高麗屋のおかみが、娘を指さして叫んだ。

「この子を帰してはだめ。お斬《き》りなさい。斬って」

おかみの眼はつり上がり、声は狂乱していた。その声にうながされたように、客が刀をつかみ上げたとき、別の声が、斬ることはないよ、おうの。あたしは座敷を血で汚すのはきらいだ、と言った。

高麗屋次兵衛がゆっくり姿を現わすと、娘の腕をつかまえた。高麗屋は顔に奇妙な笑いをうかべていた。

「この子はあたしが処分しますから、ご心配なく。それにしても臼井さま。あなたさまも、大胆なことをなさいますなあ」

高麗屋の声は、部屋にいる者を凍りつかせる冷ややかなひびきをふくんでいた。

「ふむ。それで、その娘の顔だちは？」

伊之助は、栄之助が話し終わると、そう聞いたが、その不運な娘がおようであることはもうわかっていた。はたして、栄之助が描いてみせた娘の顔だち、年ごろは二十前後という見たては、ほぼおようと一致するものだった。

「そのあとはどうなったかね」

「あとのことはよくわからなかったんで。なにしろ、それから家の中がいやに騒々しくなって、あっしはしばらく天井裏から出られなかったもんで」

伊之助は腕を組んだ。これでおようが消えた謎《なぞ》がとけたわけである。高麗屋は、あいう形で、おようが目撃したことを人に洩らす心配がないように、処分したのだ。外に洩れれば、臼井にも高麗屋にも取りかえしがつかない傷がつく。

高麗屋をしめあげる材料がそろって来たようだった。この材料をつきつけて高麗屋の面皮《つらのかわ》を剝《は》ぎ、おようの行方を吐かせることが出来るか。

伊之助は、臼井が書いた書付けを取り上げて言った。

「こいつは預って、野郎をしめ上げてみよう。それから言っとくが、奉行所の調べが、お前さんの近くまでのびてるぜ。逃げたきゃ逃げても、おれはかまわねえよ」

凶《きょう》　刃《じん》

一

店の奉公人でもなく、木場《きば》の店から泥棒防ぎに来ている人足連中でもなく、むろん客とも違う、それでいて時どき高麗屋の中で顔を見かけるという男はいないか、と伊之助は聞いた。

むろん兼吉のことを頭に置いていた。すると帳付けの清作は、すぐに言った。

「徳という男のことじゃありませんか。旦那《だんな》がおっしゃるのは」

「徳？」

「ええ、ウチの旦那さまがそう呼んでいるのを聞きましたよ」

だが、清作が口で描いてみせた、徳という男の顔かたち、年恰好《かっこう》は、まぎれもなく密告屋の兼吉のものだった。

伊之助は胸がさわいだ。野郎、やっぱり高麗屋とつながっていやがったのか。道理で、おれが由蔵《よしぞう》の見張りを頼んだのを笑ったわけだ。

「その徳だが……」

伊之助は動揺を顔に出さずに聞いた。

「お前さんたちと冗談を言い合ったり、台所に顔を出したりするかね」

「とんでもありません」

清作は首を振った。

「来るとすーっと旦那さまのお部屋に行って、帰りも真直《まつすぐ》店を出て行くだけですな。薄気味の悪い男で、あたしら、旦那さまがどういうつもりであんな男を近づけなさるのか気が知れないと、陰で言ってますよ」

「なるほど。よくわかった」

伊之助は、年始の客で混雑している高麗屋の店先を、遠くに眺めながら、紙に包んだ一分銀を清作に渡した。

「それで？　旦那が今夜、料理茶屋の山本に行くというのは、間違《まちげ》えねえだろうな」

「はい。それは間違いございません」

半沢の名前を出したので、清作は伊之助を岡っ引と思っているらしく、金をもらって恐縮した顔になっている。

「茶屋の手配は、あたくしがやって来ましたので、はい」

伊之助は、清作に別れると河岸に出て、海辺橋に出た。

日が落ちかかっていて、赤らんだ日射《ひざ》しが仙台堀の水の上に砕けている。両側の河岸には子供たちが群れて、凧《たこ》をあげていた。おだやかな正月二日だが、上空には風があるらしく、凧はよくあがっていた。

伊之助は橋を渡って、海辺大工町裏町にいそいだ。今夜いよいよ高麗屋次兵衛に会うつもりだったが、その前に、兼吉のことをもう少し突っこんで調べておくほうがいいと思っていた。

裏町の道は、人気もなくひっそりとしていた。長福院という古寺の境内に入りながら、賭場《とば》もひょっとしたら無人かと思ったが、中に入って奥の部屋の襖《ふすま》をあけると、男が十人ほど、車座になって酒を飲んでいた。

「今夜は盆は休みだぜ、旦那」

と、そのうちの一人が言った。伊之助はうなずいたが、その声で富之助という中盆が、こちらを振りむいたのと眼をあわせると、顔を貸せといった眼くばせを残して外に出た。

富之助は間もなく出て来たが、不機嫌な顔をした。

「何ですかい、正月早々。縁起でもねえ」

そう言ったのは、もと岡っ引という伊之助の身分を指したのだが、伊之助は構わずに言った。

「少し聞きてえことがある」

「だから、何だね」

「兼吉という男は、いまも来てるかね」

「兼吉？」

中盆は、じろりと伊之助を見た。

「由蔵が死んだんで、今度は兼のことかね」

「ここへ来るかね」

「さあ、どうだかね。客のことは、あまりしゃべらねえことにしてるんでね」

伊之助は、中盆が見ている前で、財布から一分銀を二つつまみ出して紙に包むと、渡した。

中盆の富之助は、表情も変えずにその金を懐《ふところ》に落としこんだが、声の調子はいくらかやわらかくなった。

「兼はこのところ来てねえよ。いったいあいつは、賭場で熱くなるような男じゃねえからな。ほんのちょんの間、慰みに遊ぶだけさ」

「…………」

「しかし賭《か》けるときは大きいぜ」

中盆の声は、だいぶ滑らかになった。

「どっかに金づるを持ってるらしくて、金に不自由してねえようだな。岡場所で、豪勢に遊んでたのを見たこともある」

「しかし、あのころは、毎晩のように来てたじゃねえか」

「お前さんが由《よし》を見張りに来てたころかね」

「そうよ」

中盆は伊之助から眼をそらして、顎《あご》をかいた。

「そう言や、そうだったが、あれにはわけがあったんじゃねえかな」

「わけ？　どんなわけだ？」

「つまり、あいつも由蔵を見張ってたんじゃねえのかってことだが」

伊之助は、眼をほそめて、肉の厚い中盆の顔を見つめた。

「どうしてそう思うんだね。中盆さんよ？」

「どうしてってこたあねえが、おいらのカンさ」

と相手は言った。

「由の野郎が、中座して帰っちまったなと思うと、いつの間にかあいつも姿を消したし、それに第一、由があんなふうにして殺されたあと、兼吉はいっぺんも賭場に顔を見せてねえよ」

中盆は、賭場の勝負一切を仕切るから、賭けごとが続いている間の盆わきのことなら、針一本落ちてもわかるほど、神経をとぎ澄ましている。客の動きを見誤るはずはない。富之助が言っていることは信じられた。

伊之助は頭を殴られたような気がしたが、無表情に言葉をつづけた。

「ほかに、兼について知っていることはねえかい」

「…………」

「どこに住んでるとか、所帯持ちかどうかといったようなことだ」

「そういうことは知らねえな。そう言や、あいつを賭場で見かけるようになってから、ずいぶんになるが、そういう話は一度も聞いたことがねえな。不思議な野郎さ」

「さっきの金づるを握ってるらしいという話だが、やつは昔からそんなふうだったかね」

「そうじゃねえな」

中盆は暮れなずむ空を見上げて、また無精ひげがはえている顎をかいた。思案しているように見えた。そしてやっと言った。

「二、三年前からじゃねえかな」

「そうか」

「それまでは、金に汚ねえ野郎だったぜ。盆の遊びっぷりもみみっちくてな。負けると顔色を変えやがった。そう言えばそのころ兼はお上から小遣いをもらってんじゃねえかなんて、噂《うわさ》が立ったこともあったな」

中盆の富之助は、白い眼で伊之助を窺《うかが》うように見た。伊之助が兼吉を密告屋に使ったのは、ある事件の調べで、どうしても兼吉のような男が必要だったからで、ごく短い期間のことだった。

だがそういうことは、やくざな連中は何となく嗅《か》ぎつけるものらしい。伊之助はそ知らぬふりをした。

「ほかには、知ってることはねえかな」

「ま、そんなもんだな」

と中盆は言った。引き揚げどきだな、と伊之助は思った。新田の辰の信頼厚い中盆は、思ったよりも上等のネタをくれたようだった。手間をとらせた、ありがとよと言って、伊之助は背をむけた。

伊之助が傾いた寺の門を出ようとしたとき、うしろから中盆の富之助が、旦那ちょっと待ったと言った。伊之助が足をとめると、中盆は小走りに近づいて来た。

「兼のことで、言い忘れたことがある」

「………」

「嘘《うそ》かほんとか知らねえがよ」

富之助は、声をひそめた。

「やつにはキナくせえ噂があるんだ」

「ほう」

「あいつは昔、人を殺してると言うんだがね。陰気くさくて、面白くもねえ男だが、やつが何となくおれらに一目置かれてるのは、古くからあるその噂のせいだよ」

「昔というと、いつごろのことかね」

「さあ、そいつはわからねえ」

富之助はあっさり言った。

「若《わ》えころの話《け》だというから、十年も前のことじゃねえかな。もっともこいつは噂だぜ。確かなことじゃねえぜ、旦那」

「いや、いいことを聞かせてもらったよ」

「二分頂いたにしちゃ、しゃべり過ぎたようだ」

中盆は、はじめて冗談を言った。笑いを返しながら、伊之助は何気ない口調で言った。

「徳という男を知らねえかい？」

「徳？　そいつは誰のこったい」

「いや、知らなきゃいいんだ」

中盆の富之助と別れると、伊之助は本誓寺の横を抜けて、さっき来た道にもどった。薄闇《うすやみ》がただよいはじめた道には、ほとんど人影がなかった。凧あげの子供たちも、家に帰ったらしく、町はひっそりとしている。

――野郎、猫をかぶっていやがったな。

歩きながら、伊之助は道に唾《つば》を吐いた。陰気で目立たないが、頭の切れる密告者だと思っていた男が、一変してまがまがしく得体《えたい》の知れない人間に変わったのを感じていた。

いや、正体は割れたも同然だと、伊之助は思った。高麗屋に出入りし、由蔵を見張っていた男。どこかに金づるを握っていて、岡場所で豪遊も出来る男が、ただの博奕《ばくち》打ちであるわけがない。

そして富之助は、人殺しというのは噂だと念を押したが、兼吉には、そういうことをやったかも知れないと、人に思わせる何かがあるのだ。賭場の人間は、そういうことでは、めったに人を見誤るようなことはしないのだ。

　由蔵を刺して闇に消えた男。長谷川町の小料理屋「おもかげ」からの帰りに、突然襲いかかって来た男。その影のような男と兼吉を結びつけるようなことは、秩父屋《ちちぶや》の栄之助に会うまでは考えもしなかったことだった。

　だが栄之助に、由蔵の見張りを頼んだことを、兼吉が笑っていたと聞いたときから、疑惑は急にふくれ上がった。

　昨日は元日だったが、伊之助は雑煮《ぞうに》もつくらず、屠蘇《とそ》も祝わなかった。おまさの店に行けば、雑煮ぐらいは喰わしてくれるはずだったが、そのおまさは大晦日《おおみそか》の商売を終わって、鳥越にある家にもどっただろうと思われた。

　伊之助は一日中ごろごろして、年を越したおよう探しのことを考えた。およう はまだ生きているだろうかと思い、弥八はどんな気持で正月を迎えたろうかと思った。

　そして手持ちの材料で、どこまで高麗屋をしめ上げられるかと思案し、一方で兼吉が自分を嘲笑《あざわら》った意味を考えつづけたのである。

　今日は仕事はじめで昼すぎに彫藤の店に集まり、軽く仕事をして、その後彫藤の振舞いで飲んだ。その帰りに、万年町の高麗屋に行って清作を呼び出したのは、気持の底に年を越した探索の焦《あせ》りがあったからだが、収穫は大きかったようである。

兼吉が、もし由蔵殺しの下手人なら、その兼吉は石塚の推測によれば、ここ三年ほどの間に、ほかに四人もの人を消している人殺しなのだ。高麗屋をしめ上げる材料がひとつふえたと思いながら、伊之助は仲町に行く道を急いだ。

二

伊之助は、仙台堀を南に渡りかけたが、ふと思いついて、河岸を左に曲がった。そしてこの間怪盗ながれ星こと、秩父屋《ちちぶや》の栄之助と会った浄心寺裏のそば屋、安蔵の店に行って飯を喰わせてもらった。

「正月早々、いそがしそうにしてなさるじゃござんせんか」

安蔵は、まだ店を開けておらず、商売用ではない飯を出すと、にこにこ笑いながら言った。

「誰か、人を追っかけていなさるんで？」

「まあな」

伊之助はあいまいに答えたが、安蔵はそれ以上のことは聞かなかった。安蔵はやはりもと下っ引で、大晦日《おおみそか》の夜の二人の様子から、伊之助が捜し物で動いていることを悟ったらしかった。あわただしく飯を喰いおわって、伊之助は紙に包んだ金を渡そうとしたが、安蔵はそんなものを受け取るわけにゃいきませんよ、とこわい顔をして拒んだ。

黒江町から門前仲町を分ける馬場通りに出てみて、伊之助は安蔵の店で飯を喰って来てよかったと思った。

いつもは店先に連なる軒行燈《のきあんどん》で、昼のように明るい大通りが、真暗だった。ところどころに、町角に立つ常夜燈《じょうやとう》とか、大晦日に売れ残った品を捌《さば》こうと小さな灯をともしている煮《に》染《しめ》屋とか、心細いほどの灯明かりはあったが、わずかな明かるさが、かえって町の暗さをきわ立たせていた。

年始回りの帰りらしく、提灯《ちょうちん》をさげた人影が、ぽつりぽつり道に動いていたが、それも歩いているうちに、ひとつずつどこかに消えて行くようだった。暗い路《みち》の上に、一人取り残される感じが、伊之助を襲った。

だが料理茶屋の山本に行くのはまだ早かった。伊之助は、高麗屋が客の接待を終わって、山本を出て来るところをつかまえるつもりでいる。

暗い道を、伊之助はゆっくり歩き、どこか休むところはないかと、横丁のひとつひとつに眼を走らせた。そして馬場通りがほとんど尽きるところ、東仲町のはずれまで行ったとき、ようやく一本の路地の入り口に、小さな甘酒屋があるのを見つけた。

その甘酒屋に、伊之助は五ツ（午後八時）近くまでいた。客ははじめからしまいまで、伊之助一人だった。甘酒屋の爺《じい》さんは、あきらかに店を閉めたがっていて、伊之助が立ち上がると、露骨にうれしそうな顔をした。

甘酒屋を出ると、伊之助は来た道を引き返し、今度はためらいのない足どりで、料理茶屋山本がある横丁に入って行った。いつもは弦歌の音がさんざめくそのあたりも、今夜はまだひっそりと静まり返っていた。しかし山本では、客を迎えている証拠に、玄関先に明るく灯をともしていた。

高麗屋の客は、甲州の山元から来る材木問屋二人。例年正月二日に、年始の挨拶《あいさつ》と商談を兼ねて高麗屋を訪ねるしきたりで、高麗屋が、この二人を門前仲町の料理屋でもてなすことも、毎年のならわしになっていた。そしてもてなしは、およそ五ツ半（午後九時）ごろに終わり、高麗屋は家にもどって、客二人はそのまま料理屋に泊る。帳付けの清作にそう聞いていた。

伊之助は山本の門内に入ると、玄関先の植込みにうずくまった。日中、日の照っている間は、春先のようにあたたかかったが、夜気はもう真冬の冷たさを取りもどしていた。うずくまった伊之助の身体《からだ》を、刺すような夜気が、ひしとしめつけて来た。しかし風がないので耐えられた。

しゃがみこんだ膝《ひざ》の痛さと、寒さが、ようやく耐えがたくなったころ、急に山本の玄関が開いて、にぎやかな人声が戸外に溢《あふ》れた。下駄《げた》の音をさせて、一人が外に駆け出したのは、駕籠《かご》を呼びにいったのだろう。

「見送りはけっこう。あとは駕籠に乗って帰るだけだから、さあさ、みんな家ん中に入ってください。風邪をひくといけない」

つい鼻先で、高麗屋がそう言っていた。大店《おおだな》の主人らしい、どっしりした貫禄《かんろく》と、やさしさが溢れる声音《こわね》だった。

——猫をかぶりやがって、野郎め！

伊之助は胸の中で罵《のの》しった。結局見送りに出た者は、女一人を残して家の中へもどって行った。

「またいらしてくださいましよ、旦那《だんな》」

高麗屋のなじみらしいその女が鼻を鳴らした。

「どうして泊っちゃいけないんですか。おかみさんがそんなにこわいんですか」

伊之助が、ぬっと二人の前に出て行くと、高麗屋の手に指をからめていた女が、きやっと叫んだ。

「高麗屋の旦那ですね」

背が高く、肩幅の広いその男に、そう呼びかけたとき、伊之助は長い間目がけて歩いて来た場所に、ようやくたどりついたような気がした。

「そうですが、そういうあんたはどなたですかな」

高麗屋は、暗やみから出て来た男に呼びかけられても、びくともしていなかった。さりげなく、女を背にかばいながら、おだやかな声音で聞き返した。

「伊之助という者ですがね。ちょっと旦那にお見せしたいものがありまして」

「何を見せたいのか知らないが……」

高麗屋は少し笑いを含んでいるような声で言った。

「夜の夜中に、こんなところで待ち伏せしているというのは、感心しませんな。用があれば、昼に店の方においでなされればいい」

「それが、明るいところじゃ、お目にかけにくい品でござんすものですから」

「ほう、面白いことをおっしゃる」

「いえ、あまり面白い話とは思えませんがね。ざっくばらんに申しますと、お見せしたいというのは、臼井《うすい》さまが美濃《みの》の才賀屋におやりになった手紙です」

高麗屋は沈黙した。一瞬顔をしかめて思案したようにみえたが、やがて高麗屋は、女にむかって、あたしはこの人と一緒に帰るから、お前は駕籠が来たら、わけを言って帰しなさいと言った。

高麗屋は、伊之助に向き直ると言った。

「さ、ここを出ましょうか」

伊之助と高麗屋が門を出るのを、茫然《ぼうぜん》と見送っていた女が、突然に、旦那お気をつけなさいましよ、と叫んだが、高麗屋はふり向かなかった。

高麗屋は、先に立ってずんずん歩いた。足どりはためらいがなく、後から行く伊之助を恐れたり、気にしたりする様子は、まったくみえなかった。伊之助の方が引き回されていた。

馬場通りに出ると、高麗屋はすぐに左に折れ、暗い通りをしばらく行ってから、今度は右に曲がってさらに暗い横丁に入った。そして仲町を通りすぎて、次の蛤《はまぐり》町の裏手に出た。そこは河岸だった。水の音がした。

そこまで行ったとき、それまで無言だった高麗屋が、はじめて声を出した。

「ながれ星とかいう盗っとは、あんたかね」

「いや」

伊之助が答えると、高麗屋はそれっきり黙った。ただ聞いてみただけという感じで、伊之助をふり返りもしなかった。

高麗屋は、足をゆるめずに、細い路地に入った。そこは家の軒下をかすめるような狭い道で、幾つか角を曲がると、来た道は迷路に迷いこんだように、方角が失《う》せてしまった。その道を、高麗屋は迷う様子もなく、すたすた歩きつづけ、やがて飲み屋かと思われる、一軒の店の暗い軒下に立った。

高麗屋が戸を叩くと、中で男の声が応《こた》え、やがて内側から灯明かりが射《さ》した。灯の色は、戸へ近づいて来て、中から男のだみ声がとがめた。

「いまごろ、誰でい？」

「わたしだよ、仙左」

高麗屋が言うと、急に戸の内側の空気があわただしくなり、やがて戸が開いた。固肥《かたぶと》りの、顔が熊《くま》のようにひげで埋まった男が、眼を見ひらいて高麗屋を迎えた。

「旦那ですかい。こいつは驚いた」

「お客さんをお連れしたんだ。軽く酒の支度をしてくれないか」

「かしこまりやした、旦那」

仙左という男は、高麗屋のうしろにいる伊之助に、無言の凄《すご》い一瞥《いちべつ》をくれてから店の中に引き返した。

戸は伊之助が閉めた。戸を閉めたとき伊之助は、われとわが身を敵地に閉じこめたような気がした。高麗屋と伊之助は、店の中ほどの飯台をはさんで向き合った。

「ごらんのとおりでな。狭くて汚ない店だが、さっきあんたが言ったような話をするには、落ちつけていい店です」

「………」

「ここなら、どんな話をしても、よそに洩《も》れる気遣いはない」

高麗屋は微笑した。伊之助には、それが、どんなことが起きても、ほかに知られる心配はないと言ったように聞こえた。

「こわがることはありませんよ、あんた」

と高麗屋は言った。高麗屋はくつろいでいた。

「ここにいるのは、みんなおとなしい連中ばかりです」

高麗屋がそう言った意味が、すぐにわかった。板場に入ったひげ男とは別に、板場の前に凶悪な人相をした三人の男が立って、じっとこちらを見ていた。彼らがいつ店に出て来たのかわからなかった。

伊之助が見ているうちにもう一人、若い男が奥から出て来た。その男は、足音も立てずに店の中を横切り、入口の戸の前まで行くと、こちらを向いて腕を組んだ。伊之助の退路を断ったというふうにみえた。

——こいつが一番危険だな。

若い男を眺めながら、伊之助はそう思った。削り取ったように痩《や》せた頬。唇が女のように赤く、細い眼には針のような光がある。刃物が立っているように、危険な感じがする男だった。

板場の前から、三十過ぎの顔色の悪い男が、酒と酢の物を運んで来た。

「さてと、ではその手紙とやらを拝見しましょうかな。その前に、一杯いかがですか」

「一杯やる前に、聞きてえことがある」

と伊之助は言った。

「それと目ざわりだから、のっそり立っている連中を、そのへんに坐《すわ》らせてくれませんかね」

「気になりますかな」

高麗屋はにこやかに言って、男たちをふり向いた。

「なるほど。女子なら眼の保養にもなりましょうが、むさい男ばかりでは曲《きょく》もありませんな」

お客さんのお許しが出た。そのあたりに掛けなさい、と高麗屋は男たちに言った。高麗屋のそぶりにも、口の利《き》き方にも、少しずつ悪の本性《ほんしょう》がちらつきはじめていた。

三

男たちが、それぞれ手近な樽《たる》に腰かけるのを見さだめてから、伊之助は高麗屋に向き直った。

「はじめに、こっちの手の内をお見せしましょう。旦那《だんな》にとっちゃ、その方が話のわかりが早《はえ》えだろうし、あっしが聞きてえことにも、ちゃんとした返事をもらえるんじゃねえかと思いやすんでね」

「なるほど」

高麗屋はにこにこ笑った。

「手の内ね。あんた、その手に何を握っていなさる」

「まず小普請《こぶしん》支配の臼井織部正《おりべのしょう》という旦那との腐れ縁。これは長《など》うござんしたようですな。臼井というひとが作事《さくじ》奉行をしていたころから、二人で組んでだいぶあくどいことをなさった。たとえば同じ材木屋の秩父屋《ちちぶや》をつぶした手際《てぎわ》なんぞは、賭場《とば》のいかさま師も眼ェむきますぜ」

「………」

「その証拠の品というのが、さっき言った才賀屋あての手紙というやつですがね。こいつをまた、才賀屋でも臼井でもなく、高麗屋の旦那がお持ちだったというのが面白《おもしれ》え。これ、臼井の旦那を脅《おど》すのに使ったんでしょうなあ」

「それで？」

高麗屋は、まだ笑っていた。

「同じころに遠州屋、三浦屋という、秩父屋に見劣りしねえ店が二軒つぶれてますなあ。大どころがつごう三軒。これがみんなつぶれて、かわってこちらの旦那がお上の御用を受けるようになんなすった。このあたりのことも、さっきの秩父屋をつぶした一件をほじくって行くと、いろいろと絡《から》んできやしねえかと、あっしは楽しみにしてるんでござんすがね」

「面白い」

と高麗屋は言った。こぼれんばかりの笑顔になっていた。

「大そう面白い話だ。握っているのはそれだけかね」

「まだあるさ」

と伊之助は言った。野郎、だんだんに笑えなくしてやるぜ、と思っていた。

「高麗屋のおかみさんは、よく夜遊びをなさる。相手は誰だれなんてことまで、あっしは知ってますが、そういう細けえことまでばらすのは、あっしの好みじゃねえから言いませんよ。誰とどう遊ぼうが、ご本人の勝手ですからな」

「…………」

「ただこの美人のかみさんに、用心棒といった格の、出しゃばりのお供がついてて、こいつがちょいとしたタマなんですなあ。ああいう男を養っておいちゃいけませんや、旦那。お店がつぶれますぜ」

「…………」

「と、あっしが申しあげたところで、旦那がそうかとおっしゃるわけはない。あいつが人殺しだということは、万事承知で使ってらっしゃるんだ。いや、こういう言い方はまだるっこいか。由蔵《よしぞう》などというやくざ者なんかは、旦那のお指図で消したらしいからな」

うふ、うふ、と高麗屋は笑い、ついにこらえ切れないように、喉《のど》を仰《あお》むけて高笑いした。そしてうしろの男たちをふり向くと、あたしは大変なひとを連れこんだらしいよ、と言った。男たちも薄笑いした。

ようやく笑いやむと、高麗屋はまだ笑いが残っている眼で、伊之助を見た。

「あんた、いったいどなたさんで？　あたしはお奉行所の筋のひとじゃないと思ったんだが」

「そんなんじゃねえよ」

伊之助はぶっきらぼうに言った。

「そうでしょうな。あたしの眼が狂うはずはない。しかしそれにしてはよく調べなすった」

「そうかね」

「そうですとも。失礼ながら感心しました。せっかく面白おかしくお話してくだすったから、あたしも正直に言いますが、あんたが言ってなさることは、全部ほんとのことですよ、ええ。よくお調べになりましたな」

野郎、何をたくらんでいやがる。伊之助はじっと高麗屋を見た。

「しかしここだからいい。さっきおっしゃったようなことを、よそさまでしゃべったりされては、あたしも困ります。高麗屋の信用に傷がつきますからな」

高麗屋はぬけぬけと言った。高麗屋のうしろにいる男たちがくすくす笑った。伊之助のうしろにいる若い男だけが笑わなかった。その男は、坐《すわ》りはしたものの、さっきから身じろぎひとつしない。ふり向かなくとも、伊之助は気配でわかった。

「その筋のひとでないとすると、つまりはお金でしょ？　よろしゅうございますよ。さっきのお話に、証拠の手紙とやらをそえて、さて、なんぼの値がつきましたかな」

高麗屋は商談をすすめる口ぶりになった。その顔には、ほとんどこの取り引きを楽しんでいるようないろがある。伊之助はひややかな口調で言った。

「金じゃねえんだ、高麗屋さん」

「と、おっしゃると？」

高麗屋の顔から微笑が消えた。まじまじと、伊之助を見た。

「あんたも忘れっぽいな。あっしはこの店に来たとき、あんたに聞くことがあると、そう言ったはずですぜ」

「ああ、そうでしたな」

と言ったが、高麗屋の顔には警戒するようないろがうかんだ。目あては金じゃない、と言ったのが、気に入らないらしかった。高麗屋は悪党だが、商売で世を渡っている人間でもあった。読みがはずれたのを警戒していた。

「で、聞きたいとおっしゃるのは？」

「おようが、どこにいるか、教えてもらいてえのですがね」

「およう？」

「そう。万年町のお店に通い女中で働いていた娘だよ。その娘をあんたは、どっかに売りとばしちまった。忘れるはずはないさ」

「ああ、およう」

そう言ったが、高麗屋はあいまいな表情を見せた。その眼にぴったり視線をからませながら、伊之助は言った。

「よく聞いてもらおうか。あんたはおれに、おようの居場所を教えて、あの娘を渡す。むろんただで渡すんだぜ。そのかわり、おれはさっき言ったことは、よそには一切洩《も》らさない。これがおれの取り引きだが、乗るかね」

「乗ったら、手紙はすぐ頂けますかな」

「そいつは駄目だ。おようがこっちの手にもどったときに渡そう」

むろん、この悪党に手紙を返すつもりは毛頭なかった。半沢の旦那が調べているのだから、いずれこの男の手はうしろに回る。臼井の手紙はそのとき大きな証拠になるのだ、と伊之助は思った。

「なるほど」

「考えることはねえでしょ、高麗屋の旦那。あっしはさっきしゃべっただけのことを知ってる人間ですぜ。恐れながらとお奉行所に駆けこめば、高麗屋はまずつぶれるな」

「そうかも知れませんな」

「それをだ。娘さえ渡せば、ぷっつり口をつぐもうと言うんだ。悪い取り引きじゃねえと思うがな」

「あんた、あの娘のいいひとか何かですか」

「そんなこたあ、どうでもいいやな。知り合いだよ。それよりも、どうするね。この取り引きは？」

「娘を渡してですな。それであんたがしゃべらないという保証はありますかな」

「それが心配だったら、おれにぴったり見張りを貼《は》りつけな。堅い職人だ。見張るのはわけもねえことだ」

「………」

「しかしお前さん、さっき金で取り引きしようとしたじゃねえか。同じことだろうぜ。何を考えこんでいやがる」

「いいえ、同じことじゃありませんよ。あんた」

と高麗屋は言った。高麗屋は微笑していたが、その笑いには、少し無気味なものがまじっていた。

「あたしは商人です。金で人がどう動くかは、長年の商売でとっくりと見て来た。金の取り引きなら、はじまりも欲、金をつかめばつかんだ金にまた欲が出るから、約束を破ってまでしゃべろうとはしないものです。しかしお話をうかがうと、あんたは欲で動いているわけじゃない。信用出来ませんな」

　この取り引きは失敗した、と伊之助は思った。一度そこまでたぐり寄せたかと思ったおようの姿が、すうっと遠のくのを感じた。

　むろん、ちょっとやそっとの脅しで参るような相手でないことはわかっていたのだ。だが材料は吟味したはずだった。突っぱねて、あとでどうするつもりだこの男、と伊之助はいぶかしがった。

「取り引きがいやだというなら、あとは訴えて出るしかありませんぜ、高麗屋さん」

「どうぞ、ご随意に」

　高麗屋は胸をそらして、うふ、うふと笑った。

「あたしはいっこうに構いませんよ。さっきほんとのことだと言ったあの話なら、お奉行所の人が来たときには、身におぼえがありませんと言い直すだけのことです」

　高麗屋はふてぶてしく笑った。訴えられることを恐れていなかった。伊之助は、その顔をじっと見た。高麗屋の自信が、どこから来るのかわからなかった。

そのふてぶてしい笑いに爪《つめ》を立てるように、伊之助は言った。

「あんた、勘違えなさってるようだな。おれはお前さんをかどわかしで訴えるつもりだぜ」

「おようの、ですかな」

「そうさ。なぜ売りとばしたか、そのわけもわかってるんだ。おようは臼井織部正が、お前さんの女房を……」

そこまで言ったとき、高麗屋がすっと立ち上がった。ととのった顔が、いっぺんにどすぐろい色を帯びたようにみえた。高麗屋は、刺すような眼で伊之助を見た。

「このひとは、いろいろと知りすぎているようだ」

高麗屋は、ゆっくり男たちがいる方にさがった。そして凄味《すごみ》のある低い声で言った。

「その口を黙らせな。あ、ついでに手紙とやらを持ってたら、こっちに頂きなさい」

最初に襲いかかって来たのは、やはり伊之助のうしろにいた若い男だった。男は匕《あい》首《くち》をかざしながら、飯台の上を奔《はし》ってきた。

その一撃を、首をすくめてかわした次の瞬間、伊之助は伸び上がると手刀《てがたな》で男の足を払った。飯台が崩れ落ちて、男は床に落ちた。しかし男は敏捷《びんしょう》にはね起きると、すばやい動きで伊之助に匕首を突きかけてきた。二度、三度と伊之助はかわしたが、かわし切れずに腕を斬《き》られた。

だが、男が大きく踏みこもうとしたとき、伊之助はとびこんで、匕首を握った男の腕を抱えこんでいた。同時に樽《たる》の上に腕を押しつけると、上から手刀の一撃を降りおろした。骨の砕ける音がひびき、男は絶叫して匕首を落とした。

「甘くみるなよ、高麗屋」

伊之助は、男を抱えこみながら言った。

「証拠の品を持って、のこのこやって来た甘ちゃんだと思ったかい。そいつはあるひとに預けてある。今夜おれがもどらなきゃ、そのひとはまっすぐお奉行所に駆けこむことになってるんだ」

しかし、すぐに別の男たちが殺到して来た。

四

伊之助はとびのくと、眼の前の飯台に手刀を使った。すさまじい音がして、飯台が割れた。伊之助はそこから板切れをもぎ取ると、迫ってくる男たちにむかって身構えた。

素手で飯台を割った伊之助を見て、男たちはぎょっとしたように一度足をとめたが、すぐにじりじりと四方から迫って来た。板場に入っていた仙左と呼ばれた男も加わって、敵は四人だった。

四人とも匕首《あいくち》をぴったりと腰に構えていた。その構えを見ただけで、喧嘩馴《けんかな》れしている連中だとわかった。伊之助の手を警戒していたが、恐れてはいなかった。右手からすすんで来る顔色の悪い男は、薄笑いをうかべている。

伊之助はじりじりと後ろにさがった。そして入口の板戸に背が触れたと思ったとき、右手の男が襲いかかって来た。伊之助はその男の手首に板切れを叩《たた》きつけながら、身体をひねって正面から突いて来た男の顎《あご》に、鋭い足蹴《あしげ》りをとばした。

それが乱闘のきっかけになった。灯が揺れ、店は家鳴りした。伊之助の足蹴りに膝《ひざ》を折り、首に喰らった手刀の一撃で壁ぎわまでふっとびながら、男たちは執拗《しつよう》にまた立ち上がって襲いかかってきた。伊之助も腿《もも》を刺され、脇腹《わきばら》を裂かれた。

——生きてここを出られねえかな。

ふっとそう思ったほど、男たちの攻撃は粘っこかった。歯を嚙《か》み鳴らして襲いかかって来る。肉と肉がぶつかり合い、伊之助の背負いの技で宙を飛んだ男の身体で、飯台がめりめりと裂けたが、それでも男は起き上がってむかって来た。餓狼《がろう》のような男たちだった。

だが乱闘の間に、獣のような男たちも一人また一人と倒れて行った。起き上がれずに、暗い土間を這《は》った。最後まで匕首を放さなかった、四人目の男の腕を逆手にとると、伊之助は渾身《こんしん》の力を腕にあつめた。骨が折れた鈍い音がひびき、男は咆《ほ》えるような叫び声をあげると、折れた腕をかばいながら、乱れ散っている飯台の間に、頭から倒れこんで行った。

伊之助は土間に膝をつくと、しばらくは肩で息をついて喘《あえ》いだ。身体は綿のように疲れ、眼がくらんだ。いっとき首を垂れて目まいに耐えてから、伊之助は立ち上がって板場に歩いて行った。そこで水を飲んだ。

板場から出て、店の中を見回すと、灯明かりもとどかない店の隅に、身じろぎもせず高麗屋が立っていた。

「高麗屋、また会うぜ」

と伊之助は言った。そして男たちの呻《うめ》き声をかきわけるようにして、店を出た。

迷路のような屋並みを抜けるのに迷うかと思ったが、案外に馬場通りの近くに出た。伊之助は一ノ鳥居をくぐり、黒江町から一色町の方に掘割を渡った。

暗く長い道を、伊之助はよろめきながら歩いた。高橋まで来たとき、東の空におそい月がのぼった。伊之助は橋の欄干によりかかって、疲れをやすめながら、大きく赤い月を眺めた。傷の痛みで身体が熱っぽかった。

いやに寒いな、と思ったのは、二ツ目橋の近くまで来たときだった。はじめに胴ぶるいが来た。やがて膝が踊るようにふるえ、がたがたと歯が鳴った。歩きながら、伊之助は額に手をあててみた。火のように熱かった。悪感《おかん》に襲われていた。風に吹かれる竹細工の人形のように、とめどもなくふるえながら、伊之助は歩きつづけた。

亀沢《かめざわ》町の裏店《うらだな》にある自分の家にたどりつくと、伊之助は戸を開けて中に倒れこんだ。ひどい音をたてたらしく、隣の家の戸があいて誰かが外に出て来た。

「どうかしたかね、伊之さん」

のぞきこんで、こわごわと声をかけて来たのは、おきちという隣の女房だった。

「酔っぱらっちゃったのかい。こんなところに寝ちゃだめじゃないか」

おきちは土間に踏みこんで来た。そして血の匂《にお》いを嗅《か》いだらしかった。ぎくっと身をひく気配がし、やがて家にもどったおきちが、けたたましく亭主を呼びたてる声がした。

伊之助は、土間から上に這い上がろうとした。だが手足から力が失われていて、一尺の高さにある、上がりがまちにしがみついたまま、伊之助は喘いだ。悪感はおさまっていたが、火のような熱に身体を焼かれていた。

その伊之助を、入口から明かりが照らした。

「こいつはいけねえ。すぐ医者呼んで来なくちゃ」

おきちの亭主、日雇いの権次の声がした。

「ひとっ走り行ってくら。そのひまに、おめえは伊之さんを上にひっぱり上げて、寝せときな」

「あいよ」

おきちは、亭主よりも丈も幅もある大女である。力強い腕が伊之助の上体を抱えあげ、茶の間までひっぱりこんだ。

行燈《あんどん》に灯を入れ、隣の部屋から夜具を運んでいるおきちに、伊之助は気だるい声音で呼びかけた。

「隣のおっかあ、ひとつ頼まれてくれねえか」

「あいさ、何だね」

おきちは、のべた夜具の上に、抱え上げるようにして伊之助を寝かせながらつぶやいた。

「ひどい血だ。どうしたんだろ、喧嘩かい」

「蔵前から西に入ったところに、鳥越明神があるのを知ってるかね」

「ああ、知ってるよ」

「その明神のすぐそばに、六蔵というとっつぁんが住んでいる」

「ふん、それで？」

「その家に行って、おまさというひとを、ここへ呼んで来てもらいてえ」

「わかった。六蔵という家だね」

「遅くで、済まねえ」

「怪我人《けがにん》が、気ィつかうんじゃないよ。医者が来たら、すぐ亭主を走らせるから、心配おしでないよ」

おきちがそう言ったとき、土間で若い男の声が、伊之さんが、どうかしたかい、といった。二月《ふたつき》ほど前、新所帯で左隣に移って来た助七という男だった。助さん、あんたいいところに来た、とおきちは言った。

「いま、鳥越に助さんを走らせたからね」

と、部屋にもどって来たおきちが言ったので、伊之助はほっとした。

――万一のときは、栄之助から預かった手紙を、おまさに言って半沢の旦那《だんな》にとどけさせなきゃならねえ。

そう思いながら、伊之助はうとうととした。

だが、浅い眠りは、医者が来てすぐに破られた。小柄で、色が黒く、寡黙《かもく》な医者だった。ひとつひとつ、ていねいに傷口をあらためてから、医者はぽつりと言った。

「不思議に、みな急所をはずれている」

脇腹の傷だけ三針縫った。あとの傷は傷口を洗い、軟膏《なんこう》を塗りこめて晒布《さらし》で巻くだけだった。医者が手当てをつづけている間に、伊之助はまたうとうとと眠くなった。身体が火照《ほて》るだけで傷はそれほど痛まなかった。ただむしょうに眠かった。おまさが来るまで、目をあけてなくちゃな、と思いながら、瞼《まぶた》はこらえようもなく重くなった。

医者が帰るらしいざわめきと、みんな匕首の傷だってさ、伊之さんどうしたんだね、と言ったおきちの声を聞いたのを最後に、伊之助は、引きこまれるように眠りに落ちた。

次に伊之助は、全身を覆《おお》う傷の痛みに目ざめた。思わず呻き声をたてると、行燈の下に坐っていた女が顔を寄せて来た。

「痛むかい？」

そう言った声は、おまさだった。おまさはほほえんでいた。ほほえみながら、目に涙をためていた。

「あたしがついているから、安心していいのよ」

とおまさは言った。こいつは夢だろうぜ。もうろうとした意識の中で、伊之助はそう思った。おまさがそばにいるわけはねえ。そう思いながら、おまさの言うとおりに、心がゆったりとくつろぐのを感じた。傷の痛みと眠気がしばらく小競り合いをつづけたが、ついに眠気が打ち勝って、伊之助はまた眠った。

伊之助がはっきり目ざめたとき、部屋に午後の光が射《さ》しこんでいた。一月の淡い光だった。その光の中に、女が寝ていた。柏《かしわ》にした夜具にくるまって、こちらに髷《まげ》をみせた頭だけがのぞいている。

伊之助は微笑した。そのときには、昨夜おまさを呼んだことをはっきり思い出していた。びっくりしたろうぜ、と思った。おそらくおまさは、一晩寝ずに看病して、いま疲れてひと眠りしているのだろう。

すると、伊之助の微笑がわかったように、おまさがくるりとこちらを振り向いた。おまさは夜具から起き上がって来た。帯をしめたままだった。

「いいから、少し眠りな」

と伊之助は言った。おまさは首を振って、伊之助の額から手拭《てぬぐ》いをとると、冷たい水で絞り、額にちょっと手を置いてから手拭いを乗せた。

「いくらか熱がさがったかしら」

「うむ」

「昨夜は火みたいだったんだから」

おまさは青白い顔をしていた。髪がほつれて、凄艶《せいえん》な顔にみえた。

「痛む？」

「うむ。あちこち痛《いて》えや」

「おようちゃんのあれ？」

と、おまさは言った。伊之助がうなずくと、おまさは伊之助の手をさぐって握った。

「あんたは途中であきらめるようなひとじゃないものね」

「…………」

「それで？　見つかったの？」

「いや、まだだ」

「気をつけてよ」

と言って、おまさは伊之助の手に頬を寄せた。そうしながら伊之助を見つめたおまさの眼に、涙がにじんだ。

その涙にテレたように、おまさは手を離すと言った。

「なんか喰べる？」

「腹はすいてねえよ」

「でも、目がさめたら少しでも喰べさせた方がいいって、おきちさんが言うから、お粥《かゆ》をつくったけど」

「じゃ、ほんのひと口頂くか」

伊之助が言うと、おまさは顔をほころばせて立ち上がった。台所に行くおまさを目で追いながら、伊之助は、家の中に女がいるってえのは、やはりいいものだと思った。

昨夜は、栄之助の手紙のことがあるから、おまさを呼んだと思ったが、台所にいるおまさのうしろ姿を見ていると、案外ひとりでは心細くて呼び寄せたような気もしてきた。どっしりとたのもしいうしろ姿に見えた。


医者が言ったように、傷が急所を外れていたせいか、伊之助の回復は早かった。熱は二日足らずですっかりひき、さらに数日後には、家の中を歩くぐらいなら、傷もさほど痛まないほどになった。おまさが心配した脇腹の傷も、そのあとの手当てに来た医者が、すっかりふさがったと保証した。伊之助は、八丁堀の半沢の家まで行ってくると言った。

「まだ、無理よ」

おまさが顔色を変えてとめたが、伊之助は気がせいた。伊之助が一番心配しているのは、ああいうことがあって、高麗屋がおようをどうにかしたりはしまいかということだった。おようも、高麗屋と臼井織部正《おりべのしょう》のかかわり合いがどういうものであるかを見た、生き証人なのだ。

伊之助がそう言うと、おまさは、それでは駕籠《かご》を呼ぶと言った。駕籠に乗った伊之助を、おまさは心配そうに見送った。

五

八丁堀の組屋敷の前で駕籠《かご》を降り、ほの暗い外に出ると、伊之助は目まいがしてよろめいた。

「旦那《だんな》、だいじょうぶですかい」

と駕籠屋が言った。伊之助は大丈夫だと言ったが、足もとが、一歩ずつ雲を踏んでいるように心もとなく沈むのを感じた。這《は》うようにして、半沢清次郎の家にたどりついた。

時刻を見はからってきたので、半沢は奉行所から家にもどっていた。玄関に出た半沢の妻女が、伊之助の様子を話したらしく、半沢がどかどかと玄関に出てきた。

「どうした、どうした」

と言いながら、半沢は手を取って伊之助を上にあげた。

半沢の居間で、熱いお茶を一杯もらうと、伊之助はようやく人心地がついた。

「誰にやられたんだね」

手首にも、胸もとにも傷をおさえた白布がのぞいている伊之助を、半沢は伊之助がお茶を飲む間じっと眺めていたらしく、そう聞いた。

「高麗屋ですよ」

伊之助は苦笑した。やっと笑うゆとりがもどってきたようだった。だが、半沢は笑わずに、鋭い眼で伊之助を見た。

「高麗屋に会ったのかえ?」

「へえ。会って脅しをかけてみましたが、役者はむこうが一枚上でござんしてね。すんでのことで命を落とすところでした」

「ふむ」

半沢はうなずいた。

「あいつなら、そのぐれえのことはやりかねんだろう。で、おようだったかい、弥八の娘のほうの手がかりはつかめたのかい？」

「それが、まだなんでさ」

「高麗屋は何も吐かなかったわけだ」

「へい。だもんで、今夜旦那をおたずねしましたのは、高麗屋のお調べがどのぐらいまですすんでいなさるのか、もしや高麗屋と臼井というもとの作事奉行がつるんでやったことがばれて……」

「ちょっと待った」

と半沢は言った。

「お前さん、臼井織部正と高麗屋のつながりをつかんだのか」

「へい」

「なるほど、さすがは剃刀《かみそり》の伊之だな。ふむ、それで？」

「旦那のお調べがそこらへんまですすんで、もし高麗屋を呼び出すようでしたら、ひとつお上のご威光で、高麗屋におようの行方を聞きただして頂けねえものかと思いやして」

「まだそこまではいってねえよ」

と半沢は言った。少し苦しげな表情になっていた。

「高麗屋と、もとの作事奉行臼井織部正が組んで、そのころ大きかった材木屋三軒をつぶし、高麗屋がお上の御用を受けるようになったことはまず間違いがねえ」

半沢は、身体《からだ》をうしろに倒して手文庫を引き寄せると、中から前にも伊之助に見せた帳面を引き出してめくった。

帳面には、いたるところに朱引きの線が入っていて、半沢がつぶれた三軒の材木屋にかかわりのある人間を、克明にあたったことを示していた。

「遠州屋のことは話したな？」

「へい。浅草の馬道で古手《ふるて》屋をやっているということでござんしたな」

「遠州屋は、なぜお上の御用を停められたか、さっぱり見当もつかねえ様子だった。当時は妙だと思ったかも知れねえが、いまは耄碌《もうろく》して何もおぼえておらんのだから、こいつは仕方ない」

「へえ」

「次に秩父屋《ちちぶや》だが、この店はひどいもんだ。伜《せがれ》の藤吉という男が、いまは木場の兼安という材木屋の帳付けをしていて話が聞けたのだが、店がつぶれて二年目に秩父屋の主人というのは病死している。死ぬ間ぎわに伜を枕《まくら》もとに呼んで、高麗屋にはめられたと言ったそうだよ」

「………」

「はめられたというのは、お上が鎌倉の社寺を修復したときに、材木の荷が遅れた一件らしい、と伜は言うわけだが、証拠はねえ。証拠はねえが、秩父屋は二年という間考えて、高麗屋の罠《わな》にはまったとさとったわけだな」

「………」

「主人が病死したあとを追うように、女房も亡《な》くなる。次男坊は店がつぶれる前に、本所の米屋に婿《むこ》に行ったからいいが、三男の栄之助という男はグレて家を飛び出す、とまあ、こういう有様だったらしいな」

「………」

「おれは、ここの手代をしていた益吉という男を探し出して、この男の話も聞いたのだが、この益吉が面白いことを言ったぜ。鎌倉《かまくら》の社寺修復の材木を請負ったとき、秩父屋は美濃《みの》の才賀屋という山元問屋と組んだのだが、この才賀屋が、荷の送りが遅れたのは、作事奉行の臼井から書付けがとどいたからだと言ったらしい」

「………」

「惜しいことに、益吉にそう言ったとき、才賀屋は、書付けはお奉行の使いに返したと言って手もとに持っていなかったと言うが、こいつは裏で、臼井と高麗屋が組んで何かやらかしたに違《ちげ》えねえと思わせる話じゃねえか。おれはそのうち、つてをもとめて才賀屋という山元問屋の方を調べてみるつもりだ」

「…………」

「次に三浦屋だが、この家の人間は全部わかった。伜が商売換えして、いまは神田で瀬戸物屋をやっていた。商いの腕は親父《おやじ》譲りらしくて、店は繁昌《はんじょう》している。三浦屋の主人というのは、いまは隠居で、不自由なく暮らしているから、ま、店がつぶれたと言っても、秩父屋のようなみじめさはこっちにゃなかった」

「…………」

「もとの奉公人も、大方はほかの材木屋に入りこんでいる。店がつぶれたあと、三浦屋の旦那がひとり、ひとり頼んで歩いたとかで、誰もつぶれた店を怨《うら》んでいる者もいない。この店で行方がわからねえのは、前にも言ったように喜六という番頭だけだ」

「喜六でござんすか」

「そうだ。この男が、いまに至るまで行方知れずのままだが、三浦屋の旦那に面白いことを聞いたぜ」

「……………？」

「その喜六に、だ。時どき二十五、六の若《わけ》え男がたずねて来ていたらしい。喜六は、店の者には自分の血筋の者だと言っていたのだが、喜六が店の金と一緒にいなくなったあとは、この男もふっつりと三浦屋の前から姿を消したというのだな。その男を、喜六は徳十と呼んでいたそうだ」

「徳十？」

伊之助は飛び上がらんばかりに驚いていた。高麗屋に出入りしている兼吉を、高麗屋が徳と呼んでいたと言った、帳付けの清作の声が、頭の中で鳴りひびいていた。

兼吉はいま三十五、六だろう。三浦屋がつぶれたのはおよそ十年前。兼吉が徳十だとすれば、年ごろはぴったりと合う。それともこれは、ただの符合で、徳の本当の名が徳十と考えるのは、せっかちにすぎるのか。

「おれはいま、秩父屋の三男坊と、いま言った徳十という男を追っている」

と半沢は言った。

「秩父屋の三男坊は、店がつぶれたあとやくざな連中の仲間入りをして、行方知れずになっているが、親父が死ぬときはそばにいたというし、また二年ほど前、前の奉公人、手代の益吉のところにひょっこり現われて、美濃の才賀屋のことを根ほり葉ほり聞いている。ながれ星という盗っとは、高麗屋を怨んでいる人間のなかにいるのじゃねえかという考えから推すと、この栄之助という男はかなりくさい」

「………」

「それから徳十だが、三浦屋の番頭が、どこへ消えたかを知っているのは、まずこの男しかいめえよ。深読みかも知れねえが、おれはこの徳十というキナ臭い野郎が、高麗屋につながっている気がしてならねえのだ。高麗屋はそのころ、臼井に近づきたくてあがいていたはずだからな。番頭をどうたらしこんだかはわからねえが、若え女でも世話して、おめえの身柄は高麗屋が引きうけるとでも言えば、中年男なんぞはじきにひっかかろうというもんだ」

「その徳十という男なら、心あたりがありますよ、旦那」

と伊之助は言った。半沢が口をつぐんで伊之助の顔を見つめた。

「高麗屋に、徳という名前の、得体の知れねえ男が出入りしてますが、どうもその男じゃねえかという気がします。もっとも高麗屋は、そんな男は知らねえというでしょうが、そのときは、かまわずに本所、深川の賭場《とば》を洗って、兼吉という男をしょっぴいてください」

「兼吉と徳が、同じ人間だというわけだな？」

「へえ。兼吉は、高麗屋に雇われて由蔵《よしぞう》というやくざ者を殺した男です。こいつは、石塚の旦那がくわしゅうござんすが、殺しの手口から、ここ二、三年本所、深川で四人も人を殺した野郎と同じ人間だと思われますんで」

「……………」

「それに、兼吉を知ってる賭場の男たちは、あいつが若えころに人を殺したことがあると疑ってますぜ。賭場では、それで一目おかれてる野郎でさ」

「そいつは大物だ」

と半沢は言った。

「兼吉が徳十だとしたら、高麗屋の首に縄をかけることも出来るな」

「それから、さっきの美濃の才賀屋の話ですが……」

伊之助は腹巻を探って、奉書紙に包んだ臼井織部正の書付けを取り出すと、半沢の前に置いた。

「ごらんなすってください。これが証拠の品ですよ」

書付けの文面を黙読した半沢の顔に、パッと朱の色がひろがった。益吉の話したのは、これに間違《まちげ》えねえ、と半沢はつぶやいた。

「こいつを、才賀屋からかすめ取ってきたのは高麗屋で、高麗屋はこの書付けをネタに、臼井を脅し、お上からずいぶん甘い汁を吸って来たようですぜ」

「それで臼井は、作事奉行をやめたいまも、高麗屋に出入りしているわけだな」

「いかがですか、旦那」

　と伊之助は言った。

「こいつで、高麗屋をしめ上げることは出来ませんか。あっしはしくじったが、お奉行所のご威光があれば出来るんじゃございませんか」

「こっちで兼吉をしょっぴき、御目付の方から手を回して臼井をしめ上げれば、高麗屋も音を上げねえわけにゃいかねえだろうよ」

　と半沢は言った。

「よくやった、伊之。お前さんを、版木彫りの職人にして置くのは惜しいようなもんだ」

「この書付けは、旦那にお預けしまさ。そのかわりと言っちゃ何ですが、高麗屋をお調べになるときは、おようのことをお頼みします」

　わかった、と半沢は言い、臼井の書付けを丁寧に奉書紙にもどした。そして不意に鋭い眼で、伊之助を見た。

「こいつを、どっから手に入れたか聞きてえところだが、ま、我慢しとこうか。お前さんは岡っ引じゃねえから、そいつは聞けねえというもんだ」

　伊之助は黙って頭をさげた。栄之助のことは最後まで言わないつもりだった伊之助は、腋《わき》の下に汗をかいていた。

六

半沢から伊之助に呼び出しがかかったのはそれから半月ほど経《た》った日の昼過ぎだった。

「親方、一刻《とき》ばかりおひまをもらいてえんですが」

伊之助が言うと、彫藤はうさんくさそうな眼でじろりと伊之助を見た。

早出、居残りは職人のかがみだが、去年の暮れの伊之助は、その逆の遅出、早上がりでさんざん彫藤を手こずらせた。おまけに正月早々から喧嘩《けんか》で怪我《けが》したとかで、十日あまりも仕事を休んでいる。伊之助を見る彫藤の眼が不信にみちみちているのは仕方ない。

「ひまをもらってどこへ行こうてんだ？」

「へい。清住町の知り合いに、急な用が出来たもんで」

「行ってきな」

彫藤は棘《とげ》をふくんだやさしい声でいった。

「そのかわり、帰りが遅かったら、今日の手間は月の払いからさっぴくぞ」

それが当然だとつぶやいて、彫藤は自分でうなずいた。

外へ出ると、伊之助は使いに来た金助という若い男と一緒に、道をいそいだ。金助は、浅吉に使われている下っ引で、半沢が清住町の自身番で待っていると告げに来たのである。

——いい知らせだといいが。

そう思うと、伊之助は胸がおどった。半沢から、なかなか呼び出しがこないのは、あれだけの証拠をそろえても、高麗屋を白州《しらす》に引き出すのは無理なのかとも思い、伊之助はここ半月ほど、じりじりする気持で日を過ごしてきたのである。

大川の川端にある自身番に入ると、畳の部屋から、半沢と岡っ引の浅吉が伊之助を振りむいた。ほかに壁ぎわの机のそばに、家主と書役がいて、何か話していた。

「外は寒かろう。まあ、手をかざせ」

金助を帰すと、半沢は炉のそばから身体をあけるようにしてそう言った。浅吉は、ちょっと顔を上げて伊之助を見ただけである。

ぜいたくに炭火が燃えている炉に手をかざしたが、伊之助はすぐにその手を膝《ひざ》にもどして聞いた。

「いかがでした、旦那《だんな》」

「それが、うまくねえことになったよ」

と、そばから浅吉が言った。伊之助は鋭く半沢を見た。

「それは、どういうこってす？」

「上の方から、つぶされたよ」

と半沢が言った。半沢は冴《さ》えない顔色をしていた。

「それはまた、どうして？」

「臼井の娘が、去年の暮れに将軍家のお妾《めかけ》に上がりやがったのだ」

半沢は乱暴な口をきいた。伊之助は顔から血が引くのを感じた。言い方は乱暴だったが、半沢のその言葉で、臼井織部正《おりべのしょう》が、自分たちの手のとどかない場所に移ってしまったことを悟ったのである。

「しかし高麗屋は、臼井とは別に何とかしょっぴくわけにいきませんかね」

「どうにもやりようがねえよ。高麗屋をひっぱると、臼井に傷がつくと、上の方ではそう言っておる」

「そんなバカな」

伊之助は思わず大きな声を出した。机のそばの二人が振りむき、浅吉がまあ落ちつきな、と言ったが、伊之助は浅吉を見なかった。

蛤町の暗い路地にある飲み屋で、訴えていいかと言った伊之助に、ふてぶてしい笑いを返した高麗屋の顔を思い出していた。伊之助は歯がみする思いだった。

「すると、あの悪党をそのままにしておくつもりですかい。そりゃァねえでしょうよ、旦那」

「ちょっと、外にきな」

不意にそう言って半沢が立ち上がった。伊之助は、半沢のあとから土間に降り、自身番の外に出た。自身番から、四、五間もすたすたと離れてから、半沢は川っぷちに立ちどまった。

「おれの上役の益田というひとは、気骨のある親爺《おやじ》でな。おれもがんばったが、益田の親爺もがんばってくれたのだ。だが、どうにもならなかったな。お奉行は、一たんは目付のほうに掛け合ったのだが、逆に臼井には手を触れることならんと釘《くぎ》を打たれたというのだ。それと徳十はまだ見つからねえ。高麗屋が逃がしたかも知れねえな」

「…………」

「おようはおれに探させろ。おようの筋と徳十の方から高麗屋をしめあげる手は残っているからな。それから、と……」

半沢は懐《ふところ》をさぐって、奉書紙に包んだ臼井の書付けを出した。

「こいつは、お前さんの手から秩父屋の三男坊に返しな。それが済んでから、おれはながれ星も探し直す。前のようには気が乗らねえが、役目だ。仕方ねえよ」

伊之助は、茫然《ぼうぜん》と川の水を眺めていた。これまでの苦労が何の実も結ばず、日に溶ける霧のように消え失《う》せたのを感じた。白い日を弾《はじ》く川波のかがやきが眼に痛かった。つまるところ、お上を頼ったのは間違いだったのか。しかしそれなら、あとどんな手が残されているというのだ？　伊之助がそう思ったとき、自身番をとび出した浅吉が、血相を変えて走ってきた。浅吉がわめいた。

「高麗屋が、徳という男に刺されて死にましたぜ」

「いつだ」

「たったいま知らせがきたばっかりで」

「浅、おめえは石塚を探して連れてこい。いまごろは、松井町か林町のあたりを回ってるはずだ。伊之、おめえはおれと一緒にこい」

半沢はすぐ背をむけたが、走り去る浅吉を振りむいて声をかけた。

「その野郎は、つかまったのかい」

「まだ立ち回りの最中だそうですぜ」

半ば背をむけながら、浅吉が叫んだ。それを聞いて、半沢と伊之助も、河岸を仙台藩蔵屋敷のほうにむかって走り出した。

半沢と伊之助が万年町の高麗屋に着いたとき、店の前は噂《うわさ》を聞きつけて集まった町の人間で、黒山の人だかりになっていた。

「どいてろ、怪我《けが》するぞ」

半沢が十手をかざしてどなると、人波が割れた。その間を半沢と伊之助は走り抜けて店に飛びこんだ。店の中は無人のようにしんとしていたが、裏庭のあたりで、人が罵《のの》りさわぐ物音がした。

「裏だ」

半沢は土足のまま、家の中を駆け抜け、台所口にむかった。伊之助も後につづいた。蹴破《けやぶ》るようにして、台所の戸から外に出ると、裏庭に人だかりがしているのが眼に入った。手に棒や鎌《かま》を持った男たちが数人、塀《へい》ぎわの太い松の木を三方から囲むようにして、罵り声をあげていた。

「出てこい、人殺し野郎め」

「てめえ、逃げられると思ったら大間違《おおまちげ》えだぞ」

「叩《たた》っ殺してやる。こっちに出てきやがれ」

男たちは、高麗屋が木場の店から呼びよせた、泥棒ふせぎの人足たちらしかった。

威勢よくどなっているが、前にすすめないでいるわけはすぐにわかった。男たちのうしろに、人が二人倒れてうめいている。

二人とも男たちの仲間だった。伊之助はすばやく眼を走らせたが、高麗屋の姿は見えなかった。伊之助は眼を松の木の下にもどした。そこに兼吉がいた。半身を松の陰に隠したまま、身じろぎもせずこちらを窺《うかが》っている。右手に握っている匕首《あいくち》が、無気味に光った。

半沢が、うしろから声をかけた。

「みんな、うしろにさがれ。その男はおれがつかまえる」

十手《じって》を握り直して、半沢が前に出ようとしたとき、伊之助は半沢の袖をつかんだ。

「あっしにやらせておくんなさい。あの男とは浅くねえ因縁がありやすから」

半沢はじっと伊之助を見つめたが、黙って十手を渡そうとした。だが伊之助は無言で頭を振ってこばむと、素手のまま男たちと入れ替って前に出た。

「おめえは、兼吉と言うのかと思ったら、徳十という名も持ってるらしいな」

伊之助は少しずつ前にすすみながら言った。

「どっちみち、お縄をまぬがれねえ悪党だが、何で高麗屋を刺したんだね」

「………」

「それも言わねえで、高い所にのぼるつもりかい」

「言うさ」

不意に兼吉が松の陰から姿を現わして、そう言った。陰惨な顔色に、一瞬ぞっとするような冷たい笑いが走った。

「さんざこき使った上に、てめえの身が危くなったら、はした金で江戸から追っぱらおうとしやがった。気にいらねえから殺した。それだけのことよ」

「…………」

「お縄だと?」

兼吉はせせら笑った。

「お縄なんざ、まっぴらだ。てめえの身はてめえで始末するぜ。その前に……」

兼吉は、そろりと松の木を離れた。

「いろいろと嗅《か》ぎ回って、いらねえことをあばき立てたおめえを、道連れにしてやら。おれァ、岡っ引はでえ嫌《きれ》えさ」

疾風のように、匕首をきらめかした兼吉が襲いかかってきた。眼は吊《つ》りあがり、口は裂けて、顔は悪鬼の相に変わっている。

すれ違うように伊之助は身をかわしたが、兼吉の動きはすばやかった。すぐに反転すると、口から唾《つば》を吐き散らしながら、鋭い突きを送ってくる。伊之助は押された。袖《そで》を斬《き》られ、一度はかわしそこねて腕を刺された。病み上がりの身体が思うように動かないのを悟って、伊之助がぞっとしたとき、兼吉の身体が鳥のように躍って、眉間《みけん》をねらった匕首が斬りつけて来た。

身体を横ざまに倒して伊之助は匕首をのがれたが、無理な姿勢になった。重心を支え切れずに倒れた。しかし、倒れながら、踏みこんできた兼吉の匕首を蹴りあげていた。無意識の動きだった。

匕首を落として、あわてて身体をかがめた兼吉に、すばやく起き上がった伊之助が襲いかかった。脾腹《ひばら》に飛ばした蹴りが見事に決まって、兼吉は一回転して地に落ちた。

脾腹を押さえながら、すぐに跳ね起きてきた兼吉にむかって、伊之助は腕をのばしながら、じりじりと間合いをつめて行った。足にふれた匕首を遠くに蹴りとばした。兼吉は少しずつ後ろにさがったが、伊之助が兼吉をつかむと同時に、自分も手を出して伊之助の腕をつかんだ。二人の男は一瞬睨《にら》み合ったが、次の瞬間兼吉の身体は、伊之助の一本背負いで高く宙に舞い、肩から地面に落ちて動かなくなった。男たちがどっと声をあげた。

兼吉を半沢にまかせると、伊之助は家の中に引き返した。高麗屋は離れの一間で死んでいた。そばに女房のおうのが坐《すわ》っていた。血の匂《にお》いの中から、おうのは顔をあげて伊之助を見たが、瞳《ひとみ》はうつろで伊之助を見おぼえているようでもなかった。

春のひかり

一

「およういう名前だ」

伊之助は、新田の辰にじっと眼を据えたまま言った。

「高麗屋のなかで、何度か見てるはずだ」

「そんな女は、知らねえよ」

「知らねえはずはねえさ。おれァとっつぁんが、高麗屋に頼まれて、その娘を仲町に売っ払ったんじゃねえかと思ってるんだがね」

「おれが？」

新田の辰はとぼけた顔をつくったが、その顔の下を、一瞬小ずるそうないろが走りすぎたのを、伊之助は見のがさなかった。

「おれがそんなたちの悪いことはやるわけがねえ。なるほどおめえさんも知ってのとおり、裏じゃ賭場《とば》を持って客を楽しませてもいるさ。だがの、一応は木場《きば》の山鹿屋で、世間に通る商いもしてるおれだぜ。女を売りとばすような、あこぎなことはやらねえよ」

「しかし、とっつぁんよ。こっちだって、そう疑うからには、ひととおりは調べた上のことだ。とっつぁんが、仲町のあの町あたりを取締っているぐらいは知ってるぜ。いつから御家《ごけ》政《まさ》に縄張りを分けてもらったか知らねえが、大した羽振《はぶ》りじゃねえか」

「おめえさん、そいつは勘ちげえだ」

辰は、顔の前でぽちゃぽちゃと肥《ふと》った手を振った。あわてている。

「何聞きこんだか知らねえが、縄張りなんてこたァ、とんでもねえ話だ。頼まれて、時どき手伝いの若え者《わけ》を貸しちゃいるがね。それだけのこった。縄張りがどうこうと、御家政に洩《も》れてみな。えれえことになら」

「ふーん」

伊之助は気落ちを感じた。新田の辰の顔に、この男にはめずらしいうろたえたいろがある。御家政は健在なのだ。辰はあきらかに御家政を恐れていた。

仲町の、無気味な感じがただようあの町を、いまは新田の辰がにぎっていて、おようは高麗屋から新田の辰の手を経て、あの町に送りこまれたのではないか。伊之助は気持の隅で、長いことそう疑っていたのだが、どうやらその見当は違ったらしかった。

昔どおりに御家政が支配しているとすれば、あの町で新田の辰がさほど顔が利《き》くはずもない。

――だが、この男は何かを知っているのだ。

伊之助は、さっきおようの名を出したときに辰がみせた、とぼけた表情がひっかかった。自分の手で宰領したというのでなくとも、おようの始末を御家政に頼みこんだという疑いは残る。

「おようというのは、じつは娘じゃなくて、とっつぁんがよく知ってる由蔵《よしぞう》の女房だが、打明けるといまだに行方知れずなのだ。高麗屋から消えたままだ」

「おれの知ったことじゃねえや」

「そう言うだろうと思った。ま、いいさ。この話はもう半沢さんのところにとどいているんだ。半沢の旦那《だんな》は、これには高麗屋ととっつぁんが嚙《か》んでいるというお見込みだぜ」

「…………」

「高麗屋が死んじまったから、半沢の旦那は、今度はまっすぐとっつぁんに来るだろうな。こいつはしぼられるぜ。腹ァ決めてるほうがいいな」

「おれから、何を聞き出そうてんだ、おい」

「おようの行方さ」

「わかった、わかった」

辰は、口から放した煙管《きせる》を、乱暴に灰吹きに叩きつけた。

「おようは知ってるさ、由蔵の嬶《かかあ》だということもな。由蔵にゃもったいねえような、いい女だった」

「…………」

「だがな、あの女の行方なんぞは知らねえよ。おれは由蔵から話を聞いて、あいつをちっとけしかけてやっただけさ」

新田の辰は、女のように甲高い笑い声を立てた。いつもの調子にもどっていた。本当のことをしゃべりはじめている証拠だった。

「由蔵から何を聞いたんだい？」

「まあ、あわてなさんな」

辰はにやにや笑った。

「秋のことだ。ある晩、高麗屋に大事の客があったと思いねえ」

「…………」

「客というのは高禄《こうろく》のお旗本でな。ちょいとしたおひとさ。このおひとが、高麗屋のおかみを酒の勢いで手ごめにしちまった。こいつはえれえことだぜ。高麗屋は悪党だが、あの美人のおかみを大事にしてたからな。箱入り女房よ。それが手ごめにされちまった」

「………」

「ところが、高麗屋は底の知れねえ悪党だったな。お旗本を、ただじゃ済みませんよと脅しながら、片一方でもっけの幸いとばかり、それからはお旗本が来るたんびに、女房を抱かせたのだ。てめえの女房をお旗本の妾《めかけ》にしちまいやがった。甘い汁を吸うためには、何でもやる男さ。それでそのお旗本は参っちまった。もとからの腐れ縁じゃあったがよ、もう蜘蛛《くも》の巣にかかった虫も同然だ。あの旦那は、近ごろ、おれの言いなりだと、高麗屋はうそぶいていたな」

「………」

「かわいそうなのはおうのというおかみだ。男狂いをしていると聞いたとき、おれは、ああ気がふれたなと思ったな。おれはよ、正直のことを言うと、高麗屋からおこぼれの仕事をもらって材木屋やってたから、しょっちゅう万年町にも行ったし、おかみもよく知ってる。男狂いをするような女じゃなかったぜ。高麗屋のような悪党にゃ、もったいねえ女房だった」

「………」

「お旗本の妾にされて、おかみも高麗屋の正体を見たのよ。気がふれるのも無理ねえなあ」

「いま言ったようなことを、みんな由蔵に聞いたのかい」

「いや、いや、いや」

辰はまた丸まっちい手をいそがしく振った。

「そうじゃねえよ。由蔵に聞いたのは、おかみが手ごめにされたという話だけさ」

「由蔵は、それを誰に聞いたんだ」

「女房に聞いたのよ。おようは、その晩帰ってくると、おかみが手ごめにされるのを見たと話したそうだ。そして次の日、いつものように高麗屋に出かけたきり、消えてしまった。どうしたもんだろう、と由《よし》の野郎がおれんとこに相談に来たから、脅しをかけてみな、金になるよって、おれは知恵つけてやったんだ」

「………」

「それで金を出すようだったら、そいつは高麗屋が女をどうかしやがったのだ。おれもひとつぐれえは高麗屋の弱みをにぎってねえと、商いが安心出来ねえからな」

「………」

「由はそれで、だいぶ小遣いをもらったはずだぜ。だがあんまりしつこくしたか、そのうち殺されちまった。おれには高麗屋のしわざだとすぐにわかったが、黙ってたよ。そしてだ、そのあとそれとなく高麗屋の家ん中に気をつけていたら、おかみが臼井とかいうお旗本の妾になっていることも知れてきた。おれはそいつも黙っていたよ。そのうち大きくまとめて、高麗屋へゆすりをかけてみようと思ってたら、何のことはねえ、今度は本人が殺されちまった」

辰は、女のような声で笑った。

「これが正直、洗いざらいの話よ。おれは由蔵の女房の行方なんぞ、知っちゃいねえのだぜ」

そうか、高麗屋は九月十五日の晩は、いったんおようを家に帰したのか、と伊之助は思った。いったん帰したが、次の日いつものようにやってきたおようを見たときには、高麗屋の気が変わっていたのだ。おようはすぐに連れ出されたのだろう。

「高麗屋は、御家政と近しい仲かね」

と伊之助は言った。辰は首を振った。

「そんなこたァねえな。昔はともかく、近ごろの高麗屋は、そういう連中とはつき合いがなかったね。なぜだい？」

「いや、女ひとり売りとばすたって、段取りってものがあるだろうに、ばかに手ぎわがいいからよ。だからとっつぁんが一枚嚙んだんじゃねえかと、おれァ疑ったわけだが……」

け、けと辰は笑い、笑いながら、じろりと伊之助を見た。

「おめえは昔のことを知らねえ。高麗屋が、若えころに何をやってたと思うね」

「……………」

「凄腕《すごうで》の女衒《ぜげん》だったのだ。あの男は。それで金をためて材木屋をはじめた男だ。女を売りさばくのに、他人の助けはいらねえのさ」

「……………」

「ま、おまえさんが知らねえのは無理ねえさ。高麗屋のおかみだって、そこまで知ってるかどうか、あやしいもんだ」

——これで、最後ののぞみも消えたか。

新田の辰の家を出て、暗くなった道を亥《い》ノ堀川の方に歩きながら、伊之助はそう思った。がっくりと気落ちしていた。

昨日、兼吉がつかまったあと、伊之助は大番屋までついて行って、半沢の調べに立ち合った。おようの行方について、兼吉が高麗屋から何か聞いているかも知れないと思ったのだが、兼吉はおようの名前も知らなかった。兼吉はただの人殺しにすぎなかった。

あとは新田の辰だけだな、とそのとき思ったのだが、そののぞみもいま絶たれたようだった。半沢が手を入れるとは言っているが、それで闇《やみ》の手から手へ渡されて姿を消したおようが、うまく見つかるとは思えなかった。ああいう町は、正面からお役人が乗りこんだところで、決して裏の素顔を見せるようなことはない。

――やはり、鍵《かぎ》は高麗屋が握っていたのだ。

どんな手を使ってでも、あの男をしめ上げ、おようの行方を吐かせるのだったと、伊之助は悔やんだ。しかし、後の祭りだった。高麗屋は、あっさりと兼吉に殺されてしまい、二度とその口を開くことはない。高麗屋に同情はしないが、死なれたのは痛かった、と伊之助は後悔を深めた。

新高橋の近くまで来たとき、伊之助ははっとして立ちどまった。女が、誰かを呼んでいる声を聞いたように思ったのである。だが耳をすましてみると、それは夜の暗がりを流れる亥ノ堀川の川音だった。川はそのあたりに浅瀬があるのか、たえずささやくような音を立てていた。

松井町のおまさの店に立寄ると、二、三人いる客に、お愛想《あいそ》に酌をしていたおまさが、すぐに寄ってきてささやいた。

「どうだった？」

伊之助が首を振ると、おまさの顔も暗くなった。しかし、伊之助が腰をおろすと、おまさは手ばやくつき出しの品と酒を運んできた。

「あと、手がかりはないの？」

「いまのところは見当らねえな」

「だめかしら？」

「バカ言っちゃいけねえ」

伊之助は、おまさについでもらった酒を乱暴にあけて言った。

「おれァ、まだあきらめちゃいねえよ。何としてもこの手で捜してやる」

「がんばってね、伊之助親分」

おまさは気を取り直すように笑った。

「おようちゃんもかわいそうだけど、見つからなくちゃかみさんにしてもらえない、あたしもかわいそうなんだから」

「見つかるさ、いつかは」

伊之助は言った。だが自分でも、その言葉の実《じつ》のなさに気がさすほどだった。伊之助はにがい酒を口に運んだ。

二

伊之助は摺絵《すりえ》の版木を彫っていた。松に鶴《つる》を配した、ありきたりの絵柄《えがら》を版木の上に彫りすすめながら、伊之助はぼんやりと考えごとにとらわれていた。

半沢が返してよこした手紙を持って、元加賀町の銀平店《だな》をたずねたが、栄之助は行方をくらましていた。裏店《うらだな》を引き払ったのは、高麗屋が殺されたその日だった。怪盗と呼ばれた男らしく、すばしこい消え方だった。

高麗屋が白州に引き出されるようだったら名乗り出てもいいと腹を決めていたようだが、殺されたのをみて、すばやく身を隠したのは当然だと伊之助は思った。半沢の調べはむつかしいものになるだろう。

高麗屋はつぶれた。主人の次兵衛が死ぬと、商いはぴったりととまり、あちこちから大きな借金が出てきた。番頭がまかされて材木や店を処分し、どうにか借金と奉公人の手間をはらって後始末をつけたと聞いた。そしておうのは川越の在にある親元に引きとられて行った。気がふれていたという噂《うわさ》があった。あわれだった。

弥八にはこれまでのことを洗いざらい話した。あきらめずに捜すつもりだと伊之助は言ったが、弥八はその話から、おようが見つかるのぞみは絶えたとさとったらしかった。無理につくった笑顔で伊之助をねぎらった。

「ごくろうだったの、伊之。おめえはやるだけのことをやってくれた。これ以上ののぞみはぜいたくというもんだ」

もう気楽にしてくれ、おようは一度あきらめた娘だ、と弥八は言った。その笑顔は、伊之助の胸に突き刺さったままだ。

伊之助は手を休めて、仕事場の障子を染めている日射《ひざ》しを眺めた。月が変わって、二月になっていた。日射しは訪れつつある春の活気を孕《はら》んでいる。伊之助にはまぶしすぎるようだった。

「浮かねえ顔だね。伊之さん」

向い合っている彫り台から、圭太《けいた》が声をかけてきた。圭太は小指を出して、動かしてみせた。

「うまく行ってねえのかい？」

「そんなんじゃねえや」

伊之助はぶっきらぼうに言った。圭太は二十三で、近ごろ女遊びが面白くなっているせいか、やたらにそういう気の回し方をする。少しわずらわしかった。

伊之助の声が棘《とげ》を含んだのを気にしたのか、峰吉がちらと顔をあげた。咎《とが》めるような眼だった。伊之助は版木に手を戻した。親方の彫藤は母屋《おもや》で客に会っている。客は版元村辰《むらたつ》の手代と美人絵師勝川春潮《かつかわしゅんちょう》の二人で、いい注文とみえて彫藤はいそいそと席を立って行ったのだ。

静かだった。三人だけの仕事場に、木槌《きづち》の音と、火鉢の上の鉄瓶が鳴る音だけが、もの静かにひびいている。

その静けさを破るように、板廊下を踏み鳴らして彫藤が帰って来た。

「みんな、こっちへ寄ってくれ」

彫藤は自分の彫り台に坐《すわ》ると言った。肥《ふと》った丸顔が赤らんでいる。

「先生の十二枚つづきを、うちで彫ることに決まった。お名指《なざ》しだぜ。見ろ」

彫藤は、しゃがれ声をはりあげて、版下絵を彫り台に乗せた。

「吉原《よしわら》あたりの気取った女郎じゃねえよ。仲町の岡場所から、入江町の銭見世《ぜにみせ》、夜鷹《よたか》、鉄炮《てっぽう》、色比丘尼《いろびくに》……」

彫藤は、鼻息をあらげていそがしく版下絵をめくってみせた。

「みんな先生がそこに出かけて写してきた女たちだ。新しい趣向だぜ。見ろ、圭太が大好きな船まんじゅうもあら」

て見入った。

「冗談じゃありませんぜ、親方」

彫藤の熱気が移って、圭太はうれしそうに叫ぶと、彫藤が言った版下絵をとりあげ

「さあ、いそがしくなるぞ。みんな、気を入れてくんな」

彫藤がわめいたとき、伊之助は眼を光で搏《う》たれたような気がした。一枚の絵が、いきなり眼に突きささって来たのである。

手をのばして伊之助は、その版下絵をつかんだ。一人の女が片袖《かたそで》を肩までまくりあげ、片膝《かたひざ》を立てて気《け》だるげに壁の柱に寄りかかっている。崩れた姿態から、匂《にお》い立つほどの色気がただよってくる絵だった。

春潮はその絵に「てっぽう」と墨書きをつけていた。息をつめて、伊之助はその絵を見た。細面《ほそおもて》の顔に、勝気そうに眼尻《めじり》の上がった眼、小さな少し受け口の唇、頰のあたりにわずかにただよう翳《かげ》り。春潮はよく写していた。左眼の下にある泣きぼくろまで、あまさず描いている。間違いなかった。女は、おようだった。

伊之助は、絵をつかんだまま立ち上がった。

「おい、大事な絵をどうするつもりだ」

彫藤があわててどなったが、伊之助は振りむきもせず、仕事場を飛び出した。

森下町の四つ辻《つじ》の手前で、伊之助は二人の後姿を見つけた。追いつくと、伊之助はうしろから春潮の羽織の袖を掴《つか》んだ。

「先生」

おどろいて振りむいた春潮の前に、版下絵を突き出すと、伊之助はふるえる指でついた。

「この絵ですが……」

「あんた、彫藤の職人だな？」

春潮と一緒にいた、村辰の手代が咎めるように口をはさんで来た。

「先生の絵を、そんな手荒らにひっつかんで。どういうつもりだね。彫藤が何か言ってるのかえ？」

「まあ、いいじゃないか」

春潮は、伊之助に穏やかな笑顔をむけた。面長な顔も身なりも、商家の旦那《だんな》のように見える絵描きだった。

「その絵が、どうかしたかね」

「この女がいた場所を、お教え頂きてえんですが」

「ほう、なぜだね？」

春潮は興味をそそられた顔になった。

「人にさらわれたまま行方知れずで、ずっと捜していた女で、へい」

「ほう、ほう、ほう」

春潮は、鳥が鳴くような声を出した。

「場所はわかってますか、先生」

伊之助は焦《あせ》って言った。

「あわてなさんな、場所はいま言う。根津《ねづ》の切り見世《みせ》、と言ってもひどいところだよ」

「名はなんと言ってました」

「おつるだと思ったな。なにしろ、あたしは描かせてもらいに三日も通ったんだ」

伊之助は無言で頭をさげると、走り出した。手代が何か叫んだが、振りむきもせずに町を走った。

伊之助が上野不忍《しのばず》ノ池《いけ》の横道を駆け抜けて、根津権現《ねづごんげん》前の町についたのは、八ツ半(午後三時)過ぎだった。このあたりは、宮永町、門前町と娼家《しょうか》が軒をならべている町だった。

町の見当はついていたが、来たのは初めてだった。途中で何度か息を入れたが、それでも伊之助は、全身に汗をかいた。汗をふきふき切り見世がある場所をたずねる伊之助を、町の者は怪訝《けげん》そうに見た。切り見世は、門前町をはずれた一角にあった。

「おつるという女に会いたいのだが……」

たずねあてた切り見世で、伊之助はそう言ったが、応対した女は無愛想《ぶあいそ》に首を振った。

「そんなひとはいませんよ」

「いない？　そんなはずはねえが」

新しい汗がどっと吹き出すのを感じながら伊之助は、懐《ふところ》から版下絵を出して見せた。四十過ぎの肥《ふと》った女は、べつに伊之助を警戒しているのでもないらしく、じっくり絵を見たがやはりそっけなく首を振った。

「いないねえ。お前さん、店を間違えてんじゃないのかい？」

「………」

伊之助は言葉を失った。おようを描いたのが根津だと言った、春潮の言葉を疑いはじめていた。

「ともかく、中へ入れてもらおうか」

「中にたって、まだみんな寝てるよ。変なひとだね」

女はあきれたように言った。すると、後ろから伊之助の袖を引いた者がいた。振りむいてみると、ひと眼で妓夫《ぎゆう》とわかる身なりと、顔をした男が立っていた。

「おつるなら知ってるよ。ついてきな」

男は伊之助と女のやりとりを聞いていたらしく、馴《な》れ馴《な》れしい口調でそう言った。背が低く瘦《や》せている白髪の男について、伊之助は切り見世を出た。

男は黙って歩いて行く。そして軒の低い家と家の間に小さな口を開けている路地の前に来ると、するりとそこにもぐりこんだ。伊之助も後につづいた。日射しは軒にさえぎられて、路地の中は夜のように暗かった。

しばらく歩くと、男は伊之助を振りむきながら、ここだというふうにうなずき、両側の家の羽目板にはさまれている潜《くぐ》り戸を押した。踏みこむと、そこも路地で、切り見世の造りに似た長屋が、ひっそりと両側につづいていた。日は前の家の屋根にさえぎられ、路地を吹き抜ける風は暗く湿って、異臭が籠《こも》っている。

伊之助は胸がつぶれる思いに襲われた。ここが、たった百文で男たちに身体《からだ》を売る鉄炮の稼《かせ》ぎ場なのか。

「ここだよ」

男は長屋の端で足をとめると、眼の前の戸を顎《あご》で示した。

「おつるはいま病気で寝てる」

伊之助は懐から財布を出して、男の手に小粒を握らせた。男は大げさに押し頂いて、戸の前を離れて行った。

戸を開けて、伊之助は、中に踏みこんだ。一間きりの暗い部屋に、人が横になっていた。眼が馴れると、寝ているのは女が二人だとわかった。一人がおようだった。おようは口をあけて、苦しそうな息を吐いて眠っていた。見違えるほど瘦せている。伊之助は、その脇《わき》に膝をついて、静かに揺りおこした。そして眼を開いたおようにささやいた。

「わたしが誰か、わかるかね。伊之助だ。迎えにきたぜ」

おようはしばらく黙って伊之助を見つめた。そしてつぶやくように言った。

「伊之助さん？」

そうだとうなずくと、おようの眼から、吹きこぼれるように涙がしたたりはじめた。おようは起き上がろうとしたが、頭も起こせなかった。しかし手をのばして抱きあげると、細い腕に驚くほどの力をこめて、伊之助の首にしがみついてきた。子供のように軽い身体だった。

外に出ると、険しい顔をした男たちが三人立っていた。その女をどうするつもりかと言った。

「もらっていく。これは深川の高麗屋という悪党に、親にことわりもなしに売られてきた女だ」

伊之助は、狂暴な気持に駆られながら、男たちをにらみ返した。

「そいつはおめえたちも、承知じゃねえのかい？　文句があったら、瓢箪堀《ひょうたんぼり》そばにある彫藤という店にきな。おれァそこの職人だ。逃げも隠れもしねえぜ」

気魄《きはく》に押されたか、それともおようは、ここでもう使いものにならないのか、伊之助が路地を抜けて表に出ても、男たちは追って来なかった。

おようはふるえながら、しっかりと伊之助の首に手をからませて眼をつむっていた。空《あ》き駕籠《かご》が来るのを待ちながら、伊之助は早春のひかりの中に立ちつづけた。

解　説

長《おさ》部《べ》日出雄

藤沢周平さんの小説は、簡潔でしかもすこぶる肌理《きめ》のこまかい文章で、昔の町のたたずまいや、そこに生きる人間の風貌《ふうぼう》を、目に見えるように描き出し、独得の雰囲気と情緒を醸《かも》しだすので、いかにも典型的なわがくにの時代小説とみる見方が一般的であろうけれど、たとえばこの作品を読んで、ぼくの連想に最初に浮かぶのは、アメリカのハードボイルド派の探偵小説である。

岡っ引をやめ、いまは版木彫りの職人の身でありながら、のっぴきならない依頼をうけて、なかば巻きこまれるように危険な人探しにのり出していく伊之助は、まさに海のかなたの元警官の履歴をもつ私立探偵を、髣髴《ほうふつ》とさせるではないか。

だからといってこの作品が、向こうの探偵小説を模倣しているというのではない。もともと権威や権力に頼らず、むしろそれに圧迫されながらも一人で生きる人間を、好んで主人公とする作者には、江戸時代の私立探偵ともいうべき彫師伊之助をつくり出す必然性があったのだ。

模倣ではないことを前提にしていうなら、この小説とハードボイルド派の探偵小説のあいだには、いくつかの共通性がある。

まず主人公の心意気《ダンディズム》。伊之助は、かつて岡っ引として仕えた八丁堀の同心半沢清次郎が、くりかえし臨時の手札を出そうというのに、うなずかない。その理由も、自分のほうからは、口にしない。そのあたりを作者は、主人公の性格描写を行間に秘めて、こう描いている。

「臨時の手札を出すから、正面から店に入って行きな。お上の御用となりゃ、高麗屋も会わねえわけにゃいかねえよ」

「…………」

「ん？　何だい、そのつらは」

「手札はどうも」

「そうか、そう言ってたな」

半沢は苦笑した。

「その方が苦労が少なかろうに、お前さんも堅苦しい男だな。お上の御用でなく、自分でやりてえわけだ」（傍点引用者）

伊之助は、そういう男なのである。半沢がいう通り、そのほうがどれだけ有利で安全かしれないのに、いったん岡っ引をやめたからには、もう二度と手札に頼って、御用風を吹かせることを、いさぎよしとしない。したがって当然、身は危険に曝《さら》されることになる。

導入部に、伊之助がおようを探して、夜は岡っ引も足を踏みこめない迷路のような場所へ入って行くところがある。島帰りや人殺しの噂《うわさ》のある男が徘徊《はいかい》していて、うっかり足を踏み入れた堅気の客が、半殺しにされたり行方不明になったりする町。得体の知れない連中がうろうろしているそんな町へ、いっさい権威や権力の保護をうけない体ひとつで、全身を危険に曝して入って行く緊迫感も、海のかなたの私立探偵を主人公とした小説に通じている。

つぎに主人公の潔癖性《ストイシズム》。伊之助は、世間の法律とはべつの、自分だけの法律を心のなかにもっていて、それを守ることには、すこぶる潔癖で厳格だ。世間の法律を重んずるなら、まず大切にしなければならない彫藤《ほりとう》の仕事は、悪いとおもいながらも遅刻したり先に帰ったりするのに、弥八の依頼を引き受けて、自分に義務として課したおようの捜索は、べつになんの得にもならないのに、徹底的に遂行し、そのためにどのような危険に襲われても、たじろがない。この「おのれの分を尽くす厳格な義務観」

と「毅然《きぜん》として運命に耐える態度」の両面をもつストイシズムも、ハードボイルド派の主人公と共通するものだ。

ストイックといっても、正義を大上段にふりかざすのではなく、話を聞き出したい相手には、金をつかませたりもするのだが、敵からの買収の申し出には、応じない。小さな悪や間違いには目をつぶっても、大きな悪は許さない。

いまは独身なのに、おまさが自分を好きなことがわかっていても、簡単に抱こうとしない。それは次のことに関係がある。

主人公が過去の影を引きずって生きていること。伊之助の若かった女房は、男をつくって逃げ、間もなく男と一緒に死んだ。その癒《い》やしがたい痛手が、かれに深い陰翳《いんえい》をあたえている。ハードボイルドの主人公は、傷つきやすいナイーブな心を守るために、非情の固い殻を鎧《よろ》っていることが多いが、伊之助の場合も、そうであるのにちがいない。

消えたおようを探して、たぐっていった細い糸が、やがてしだいに巨大な悪を、明るみに引きずり出すことになる。

くりかえして強調するが、共通点を数えあげることで、この作品が向こうの探偵小説の模倣だなどといおうとしているのではなく、藤沢さんの小説が、典型的なわがくの時代小説という枠だけにおさまりきらない、普遍的な性格をもっていることを示したかったのだ。『時代小説の可能性』というエッセイで、藤沢さんはこう書いている。

> 時代や状況を超えて、人間が人間であるかぎり不変なものが存在する。この不変なものを、時代小説で慣用的にいう人情という言葉で呼んでもいい。
> ただし人情といっても、善人同士のエール交換みたいな、べたべたしたものを想像されるにはおよばない。人情紙のごとしと言われた不人情、人生の酷薄な一面ものこらず内にたくしこんだ、普遍的な人間感情の在りようだといえば、人情というものが、今日的状況の中にもちゃんと息づいていることに気づかれると思う。（傍点引用者）

不変なものは、普遍的なものである。作者の小説が、一貫して不変で普遍的なものを追求してきたことが、時間的には時代を超えさせ、空間的には海を超えさせて、ハードボイルド派の探偵小説との共通性を生み出しているのだとおもう。

作品系列のなかに置いてみるなら、彫師伊之助が、作者の内的必然の産物であることは、あきらかだ。これはちょっとしたおもいつきにすぎないが、彫藤の仕事を気にしながら、消えた女おようの捜索に出かけていく伊之助は、勤めをもちながら小説を書いていたころの作者の反映でもあるのかもしれない。

深く沈んだまなざしで、不変で普遍的なものを探している作者の特徴は、次のような文章に、鮮明にあらわれている。最後に引く部分とならんで、ぼくがもっとも感銘をうけた箇所である。

おようは、水面の真中に浮いている藁屑《わらくず》のようなものだった。いま、伊之助はそこに竿《さお》をのばそうとしているが、へたにつつけば、藁を手もとに引きよせるどころか、かえって遠くに押しやることになる。

うまい！　と下手糞《へたくそ》な同業者のぼくなどは感嘆するのだが、そんなふうな言葉では意識しなくても、多くの人は、この箇所を読むとき、おもわず膝を打つ感じになるだろう。水面上に浮かんでいるなにものかを、竿か棒で引きよせようとして、かえって遠ざけてしまった経験は、たいていの人に、おそらく世界中の人にあるのではないだろうか。

そして人生経験の深い人ほど、それとおなじことが、人と人とのあいだにも一度ならずあったのを、この文章を読んで、あらためておもい出すはずである。ここには時代を超え、海を超えた人間の不変で普遍的な真実が、たしかにとらえられているとおもう。

アリアドネの糸という言葉がある。ギリシア神話の英雄テセウスが、怪物ミノタウロスを退治したラビュリントス（迷宮）に入って行こうとしたとき、クレタ王ミノスの娘アリアドネは、かれに糸巻をあたえた。怪物を退治したテセウスは、その糸をたどって、迷路の外に出ることができた。伊之助にとって、アリアドネの糸は、何だったのか。

　おようは、誰も探し出せない迷路に入って行ってしまったように思える。だが少なくとも、迷路の入口が、その町だということはわかっていた。

子供のころから知っていたおよう。母親が小さいときに病気で死に、親一人、娘一人の境遇で、途中から不良とつき合ってグレはじめ、自分を裏切った女房とおなじように、悪い男と一緒になって、消えてしまった若い薄倖《はっこう》な女の面影が、伊之助を危険な人探しの迷路に誘いこんだ。

　おようの父で、義理のある弥八の依頼を引きうけた伊之助に、捜索を遂行させるものは、心意気《ダンディズム》と潔癖性《ストイシズム》であるが、闇《やみ》の底までかれを引きずりこみ、最後にふたたび迷路の外の明るい地上へ導いていくアリアドネの糸は、弱い女を守ろうとする俠気《フェミニズム》である。

　作品の結末を、作者はこう描き出す。

およはふるえながら、しっかりと伊之助の首に手をからませて眼をつむっていた。空《あ》き駕籠《かご》が来るのを待ちながら、伊之助は早春のひかりの中に立ちつづけた。

余分な説明をつけ加えて、作者の簡潔でしかも肌理のこまかい文章の気品と余韻をそこないたくないのだが、このなかの「早春のひかり」という表現が、じつに素晴らしい。

よく味わってみて下さい。

見えてきませんか。

痩《や》せたおようを抱いて、地獄の闇の底から立ちかえり、地上の明るい早春のひかりのなかに立ちつづけている江戸時代の私立探偵、彫師伊之助の姿が……。

（昭和五十八年八月、作家）

この作品は昭和五十四年十二月立風書房より刊行された。

藤沢周平著
漆黒の霧の中で
―彫師伊之助捕物覚え―

竪川に上った不審な水死体の素姓を洗う伊之助の前に立ちふさがる第二、第三の殺人……。絶妙の大江戸ハードボイルド第二作！

藤沢周平著
ささやく河
―彫師伊之助捕物覚え―

島帰りの男が刺殺され、二十五年前の迷宮入り強盗事件を洗い直す伊之助。意外な犯人と哀切極まりないその動機――シリーズ第三作。

藤沢周平著
用心棒日月抄

故あって人を斬り脱藩、刺客に追われながらの用心棒稼業。が、巷間を騒がす赤穂浪人の動きが又八郎の請負う仕事にも深い影を……。

藤沢周平著
孤剣
用心棒日月抄

お家の大事と密命を帯び、再び藩を出奔――用心棒稼業で身を養い、江戸の町を駆ける青江又八郎を次々襲う怪事件。シリーズ第二作。

藤沢周平著
刺客
用心棒日月抄

藩士の非違をさぐる陰の組織を抹殺するために放たれた刺客たちと対決する好漢青江又八郎。著者の代表作《用心棒シリーズ》第三作。

藤沢周平著
凶刃
用心棒日月抄

若かりし用心棒稼業の日々は今は遠い。青江又八郎の平穏な日常を破ったのは、密命を帯びての江戸出府下命だった。シリーズ第四作。

藤沢周平著　天保悪党伝

天保年間の江戸の町に、悪だくみに長けるが、憎めない連中がいた。世話講談「天保六花撰」に材を得た、痛快無比の異色連作長編！

藤沢周平著　静かな木

ふむ、生きているかぎり、なかなかあの木のようには……。海坂藩を舞台に、人生の哀歓を練達の筆で捉えた三話。著者最晩年の境地。

藤沢周平著　たそがれ清兵衛

その風体性格ゆえに、ふだんは侮られがちな侍たちの、意外な活躍！　表題作はじめ全8編を収める、痛快で情味あふれる異色連作集。

藤沢周平著　本所しぐれ町物語

川や掘割からふと水が匂う江戸庶民の町……。表通りの商人や裏通りの職人など市井の人々の微妙な心の揺れを味わい深く描く連作長編。

藤沢周平著　龍を見た男

天に駆けのぼる龍の火柱のおかげで、あやうく遭難を免れた漁師の因縁……。無名の男女の仕合せを描く傑作時代小説8編。

藤沢周平著　霜の朝

覇を競った紀ノ国屋文左衛門の没落は、勝ち残った奈良茂の心に空洞をあけた……。表題作ほか、江戸町人の愛と孤独を綴る傑作集。

消《き》えた女《おんな》

—彫師伊之助捕物覚え—

新潮文庫　ふ-10-11

昭和五十八年九月二十五日　発行
平成十七年二月二十五日　五十刷改版
令和三年二月五日　七十九刷

著者　藤《ふじ》沢《さわ》周《しゅう》平《へい》

発行者　佐藤隆信

発行所　株式会社 新潮社

郵便番号　一六二―八七一一
東京都新宿区矢来町七一
電話　編集部(〇三)三二六六―五四四〇
　　　読者係(〇三)三二六六―五一一一
http://www.shinchosha.co.jp

価格はカバーに表示してあります。

乱丁・落丁本は、ご面倒ですが小社読者係宛ご送付ください。送料小社負担にてお取替えいたします。

印刷・大日本印刷株式会社　製本・株式会社大進堂

ISBN978-4-10-124707-6 C0193